ISBN 978-88-06-20728-1

Ernesto Ferrero

Disegnare il vento

L'ultimo viaggio del capitano Salgari

Einaudi

Disegnare il vento

Ma i veri viaggiatori partono per partire
e basta: cuori lievi, simili a palloncini
che solo il caso muove eternamente,
dicono sempre «Andiamo», e non sanno perché.

I loro desideri somigliano alle nubi;
e come il coscritto sogna il cannone, loro
sognano vaste, ignote, cangianti voluttà
di cui nessuno al mondo ha mai saputo il nome!

Charles Baudelaire, *Il viaggio*
(versione di Giovanni Raboni)

L'ha trovato Luigia Quirico, la lavandaia, mentre attraversava il bosco del Lauro in cerca di legna, che erano già le sei. Prima ha visto la giacca ripiegata per bene, la paglietta e il bastone da passeggio posati sull'erba appena spuntata. Le è sembrato di aver sorpreso un gitante addormentato, stava per scusarsi. Dopo tutto se uno arriva fin lí è perché vuole stare tranquillo. Invece c'è sempre qualche sfaccendato che si diverte a girare per il bosco e disturba.

L'uomo stava appoggiato sul fianco sinistro, offrendosi per intero alla vista di chi arrivava da sotto. A lei le viscere non facevano impressione perché aveva lavorato in macelleria, fin da bambina era abituata con i vitelli, gli agnelli e i capretti. Ma l'uomo aveva gli intestini di fuori, srotolati, a Luigia sembrava che ancora si muovessero, assestandosi per seguire l'andamento del terreno.

Per guardargli il volto si è dovuta fare forza, quasi lui fosse ancora vivo e si potesse sentire in imbarazzo di fronte a lei. I lineamenti erano distesi, come se avesse potuto trovare pace anche nella furia che lo aveva martoriato. Eppure il collo appena sopra il solino portava i segni di tagli profondi, da una parte e dall'altra. Il sangue uscito da lí s'era raggrumato in grosse cordonature viola e marrone.

Nemmeno in macelleria tanto sangue Luigia Quirico l'aveva mai visto.

È tornata a guardare di sfuggita il volto dell'uomo. Sembrava proprio lui.

Si è segnata in fretta, ha accennato una mezza genuflessione ed è corsa giú a chiamare le guardie.

Mentre scendeva la notte, il delegato Pappalardo è partito immediatamente con alcuni agenti per il luogo della
lugubre scoperta, faticando non poco a trovarlo. Perquisite
le tasche del poveretto, il solerte funzionario vi rinveniva
la ricevuta di un pacco di manoscritti inviato alla casa editrice Bemporad di Firenze e firmato «cav. Salgari». Non
v'era dubbio alcuno! Trattavasi del notissimo e popolare
scrittore di avventure e di viaggi!

Il cronista de «La Stampa» ha riferito coscienziosamen-
te che sul posto è accorso anche il dottor Borioni dell'Ufficio d'Igiene, che ha potuto stabilire le cause della morte.
«Dieci ore innanzi l'infelice era salito lassú, in quell'angolo
di bosco remoto e tranquillo, che era un luogo a lui particolarmente caro, ove soleva sovente appartarsi per medi-
tare indisturbato i suoi racconti fantastici». Le cause del
tragico gesto erano ancora ignote.

Il cronista ha ricordato la vita ritiratissima che il no-
velliere conduceva, campando del frutto dei suoi racconti.
Chi non ricordava di aver letto, con molto entusiasmo negli
anni dell'adolescenza e con vivo compiacimento anche piú
tardi, le straordinarie avventure di viaggio, i romanzeschi
racconti di strane peripezie fantastiche in lontani paesi,
che si divoravano in certi vistosi volumi dalle copertine
sgargianti e dalle illustrazioni a tinte vivaci, sui quali era
scritto, tra mille arabeschi, quel nome simpatico a tutti?
Ebbene, di lui che tanto dilettava le menti giovanili avide
del nuovo, dell'insolito e dello straordinario, di lui e della
sua vita poco si sapeva. Tutti pronunciavano quel nome,
ma nessuno si curava dell'uomo. Eppure, garantiva il cronista, la sua vita era stata delle piú avventurose.

12 maggio 1909

Sono riuscita a parlargli. Ero sull'argine, andavo a prendere il latte alla cascina oltre la Dora e da lontano l'ho riconosciuto anche per via del suo cane, Niombo. Dicono che sa giocare ai tarocchi e quando ha fame abbaia qualcosa che assomiglia a *per piasér!* Dicono che è stata la sua signora ad addestrarlo.

Lo conoscono tutti, nel borgo. Anche se è uno scrittore celebre e la Regina gli ha conferito la croce di cavaliere, che nelle feste importanti se l'appunta sul petto, può essere uno qualunque di quelli che vivono qui, tranquilli del poco che hanno. Gente che fa la sua vita senza chiedere niente, e se ne va senza disturbare. Barcaioli, fabbri, maniscalchi, osti, mugnai, bottai, pescatori, cavatori di ghiaia e sabbia dal Po. Ogni tanto si ferma a parlare con loro perché è alla mano, e gli piace giocare a tressette e scopone. Dicono che a parlare con lui si imparano molte cose. Non c'è argomento su cui non sia in grado di snocciolare notizie che fanno restare a bocca aperta. Ne sa piú di un'enciclopedia, anche per via dei viaggi che ha fatto. Per lui la Terra del Fuoco o le Nuove Ebridi sono come le rive del Po coltivate a orti, ogni fazzoletto di terra con il suo bravo *ciabòt* per gli attrezzi.

A me non mette soggezione. Potrebbe essere mio padre ma mi sento come in obbligo di proteggerlo, forse per via che è di statura modesta o per l'andatura dondolante, anche se, con tutto che va per i cinquanta, si capisce che è muscoloso, da giovane deve aver fatto attività sportive.

Se è di buon umore quando incontra qualcuno che conosce alza il bastone da passeggio, in guardia!, dice, mima un affondo, là, dice, toccato!, e magari insegna come si fa a parare un attacco di prima. Non è il tipo dell'impiegato sedentario, non è nemmeno il tipo dello scrittore, anche se non saprei bene qual è il tipo dello scrittore.

Fin da bambina ho avuto una predilezione per le persone che hanno sofferto. Lo capisco dal tono della voce – incrinato, spezzato –, da come muovono gli occhi – da cani feriti –, da piccoli gesti delle mani. All'asilo mi ero attaccata a una suorina valdostana dal viso smunto e spigoloso che si chiamava suor Orsina e avevo chiesto a casa se potevamo adottarla.

In lui c'è qualcosa come di incrinato.

Dunque era solo e camminava piano, fermandosi spesso. Frugava nella polvere con il bastone da passeggio. Era avvolto da un velo di fumo grigio-azzurro che gli stava addosso come uno scialle, non l'ho mai visto senza la nuvola delle Virginia intorno. Anche stavolta teneva nella sinistra uno dei suoi zampironi. Tirava quasi con rabbia.

– Tuoni d'Amburgo! Lei, capitano! – ho esclamato un po' teatralmente.

Non si aspettava che una signorina parlasse come un pirata dei Caraibi. Ha avuto come un sussulto, poi i suoi baffi, cosí folti che gli nascondono le labbra, si sono stirati in qualcosa che poteva anche essere un sorriso. Sembrava piacevolmente sorpreso e addirittura lusingato. Gli occhi scuri si sono addolciti per un istante. Sono opachi, forse per via di una cataratta. Ho provato una stretta al cuore.

– Ci conosciamo? – ha detto. Poi si è ricordato: – Ah, sí, tu devi essere l'Angiolina figlia di Comoglio produttore di vermouth e liquori, quello della fabbrichetta di via… di via… – non gli veniva il nome.

– La premiata ditta Comoglio, per servirla, – ho detto, e ho citato le medaglie d'oro e d'argento che ha ottenuto in varie esposizioni italiane ed europee, perfino in quella di Atene, anche se so bene che medaglie e diplomi alle esposizioni si danno a tutti, in nome del Progresso. Odio tutte queste vittorie alate, flessuose giovinette slanciate in volo con in mano un serto d'alloro. Sono ridicole, ma pare che il commercio non può starne senza.

– Allora le dirò, mio fedele maharatto, che sono buon cliente della premiata ditta, – ha mormorato, – meno di quello che vorrei perché mi devo contenere, un goccio fa bene, aiuta, ma bisogna tenere la testa lucida perché ci devo lavorare. Finché mi riesce.

Ho detto che preferivo gli sciroppi, piú di tutti l'amarena. Mio padre faceva anche quelli. La menta, l'orzata, il tamarindo.

– Allora si metterà a fare vermouth e sciroppi anche lei? Spero che almeno si guadagni bene. Non come scrivere.

Ho detto che avevo altri progetti, ma non ne avevo mai parlato con nessuno.

– Sentiamo, – si è rianimato, – son curioso di natura.

– Mi piace raccontare storie. Mi piace scrivere.

S'è arrestato e ha battuto la canna per terra:

– Oh povera figlia, che gran disgrazia!

– Disgrazia?

– Sí, disgrazia! Come prendere la febbre gialla! La malaria! È una malattia da cui non si guarisce. Non c'è rimedio. Ti svuota, ti asciuga dentro. Come avere un parassita.

Mi ha letto la perplessità sul volto. Per non farla tanto tragica ha ammiccato:

– Ci può far niente nemmeno la Fosfatina Carlo Erba.

Ho riso un po' troppo forte e cercato di spiegare che i sintomi della malattia non li avevo ancora avvertiti, perché a me scrivere dà piacere, come a un altro dipingere, suonare il piano, ballare la monferrina. Forse è una malattia subdola, di quelle che uno se ne accorge quando è troppo tardi. Ha detto:

– Scrivere riempie la testa di attese matte, che niente basta mai. Credi sempre di arrivare da qualche parte e invece ogni volta ricominci, come gli asini alle ruote dei pozzi. Giri in tondo. Poi la scrittura chiama fatica. È un lavoro da contadini, da badilanti.

– A sgobbare duro sono abituata, se è per quello le donne faticano anche piú degli uomini.

Scuoteva la testa rotonda. Non fosse per l'aria sciupata e le rughe fitte che gli corrono intorno agli occhi e gli segnano la fronte, sembra uno dei pupazzi attoniti del tirassegno. Ha detto che preferisce la musica o la pittura. Lui è anche musicista – suona il piano –, e pittore, anzi, avesse potuto scegliere avrebbe fatto il pittore. Aveva casse piene di disegni. Sin da ragazzo gli piaceva disegnare navi, vascelli alberati, cutter, brigantini, e piú c'erano alberi e vele e sartie da disegnare piú godeva, specie a disegnare battaglie navali, le nuvolette che fanno i cannoni quando sparano.

– Mi piaceva disegnare il vento, – ha detto quasi commosso, come scoprisse qualcosa di sé che prima non sapeva. – Era un po' come disegnare la libertà, la forza. La vita. Rendere visibile l'invisibile. Ma godevo anche a disegnare mappe geografiche, carte di paesi che non avevo mai visto, creare dal niente isole con le loro brave montagne, fiumi, porti, castelli. All'inizio è stato un piacere fine a se stesso, poi da quando mi sono messo a scrivere, presto, a quattordici anni, mi è servito per immaginare meglio le storie che dovevo raccontare. Per vederle.

– Per vederle proprio come si vedono al cinema?

– Eh, cara mia, il cinema non ha inventato niente. Uno che legge i miei romanzi si può risparmiare i soldi del cinema, non ha bisogno nemmeno di prendere il tram e andare al Ghersi, io gli do tutto quello che serve per muovere la fantasia. Il cinema migliore ce lo facciamo noi da soli. Qui dentro –. Ha alzato la canna verso la mia testa.

– Mi piacerebbe avere una mappa di Mompracem, – ho detto d'istinto.

– Guardo in casa se ne trovo ancora una, in quell'amba-radàn che mi ritrovo, se Aida non l'ha buttata via. Stiamo sempre a lottare, io che voglio tenere, lei che vuole buttare. Sono cose di tanti anni fa, quando ancora stavo a Verona.

Ho pensato al salotto di Sandokan, a Mompracem. Il divano turco con le frange strappate, l'armonium di ebano con la tastiera sfregiata (da lui medesimo? e perché sfregiata? ma non ho osato chiederlo), i tappeti arrotolati, i quadri «dovuti forse a celebri pennelli», le bottiglie ritte o capovolte, le carabine indiane arabescate, i tromboni di Spagna, le sciabole, le scimitarre, i pugnali, le pistole.

Mi è sempre sembrata la casa di un uomo solo, che si stordisce con il trovarobato di cui si circonda. Di un uomo disperato. Questo Sandokan è uno che non sta bene da nessuna parte.

Chissà se è quello che accade anche al capitano.

14 maggio

L'ho aspettato con una bottiglia del vermouth rosso della ditta. Ha detto che non dovevo, che era un gesto genti-le e una bella sorpresa, ha lodato i colori brillanti dell'eti-chetta, ha chiesto se l'avevo disegnata io, ha promesso che l'avrebbe assaggiato alla prima occasione, di nascosto dal dottor Heer, che lo sgrida sempre per via del fegato in-grossato. Lo sgrida anche per il fumo, lo sgrida per tutto, ma lui senza tabacco non vive.

Sembrava quasi imbarazzato, però si capiva che era contento. – Ma guarda un po', – ha detto, – e per di piú da una gentile fanciulla. Chi se lo aspettava –. Allora per disgenarlo gli ho raccontato di come aiutavo mio padre a fare il vermouth. Sotto una tettoia dove una volta teneva-no i cavalli c'è una grossa vasca foderata di zinco in cui bi-sogna versare le erbe che poi vanno in infusione nel vino. Mio padre ha un suo quadernetto nero, tutto sbrindellato per il troppo uso, con le ricette del vermouth tramandate dal nonno venuto giú dall'Alta Langa: tanto di assenzio pontico, di assenzio romano, di rabarbaro, di noce moscata, di liquerizia, di ginepro, perfino di zafferano che costa un occhio della testa per via che sono i pistilli di un fiore. Le erbe stanno in grossi sacchi arancione che mettono allegria solo a vederli. A versare le erbe nella vasca si sprigiona una gran nube di polvere gialla che fa starnutire e tossire e va nei capelli, per questo ci mettiamo in testa dei foulard, dei turbanti, alla fine abbiamo le ciglia tutte gialle di polvere che sembriamo dei pirati malesi. Anche a lavarci per bene ci portiamo nel naso e in gola il profumo amaro delle erbe, per giorni.

– Sentiamo un po', – ha detto il capitano, e mi ha annusato i capelli. Ha la mania degli odori. Annusa sempre, come un bracco. Pare che non si corichi senza profumare le lenzuola con essenze che gli ricordano i mari del Sud.

– Assenzio pontico, – ha sentenziato soddisfatto.

17 maggio

È arrivato con una grossa busta bianca in cui stava un foglio ingiallito ai bordi. L'ho estratto con cautela. Era una mappa dell'isola di Mompracem disegnata da lui medesimo. Mi è andata via la voce dall'emozione.

– Signor capitano… – sono riuscita a dire.

Ha detto che il vermouth era buono, che lui e sua moglie se l'erano scolato anche troppo in fretta. Ne chiedeva dell'altro, anche liquori come l'anisette e la chartreuse e il doppio kummel, ma voleva pagarli.

Un po' glieli farò pagare, un altro po' glieli regalo come omaggio della ditta, per le belle ore che ha fatto passare alla famiglia.

4 giugno

L'incontro sull'argine è diventato una consuetudine. Mi
siedo ad aspettarlo e dopo un po' arriva con il suo passo
dondolante, ma il piú delle volte è lui che è già lí, e sembra
quasi impaziente. Gli ho raccontato che mi piacerebbe scendere il fiume in canoa fino alla foce, l'ho sempre sognato fin
da bambina. Ha detto di aver navigato molti fiumi dell'India, per primo il Gange. È cosí grande e maestoso che non
si vede da una riva all'altra, forse perché in mezzo ci sono
gli indiani che fanno le abluzioni o spingono nella corrente
i morti che non possono permettersi la pira funebre.

– I funerali in mare sono meno tristi di quelli di terra,
– ha detto, – è come tornare nelle acque materne. Io ci
stavo cosí bene, in quel piccolo mare interno. Non volevo uscire di lí, diceva mia madre. Mi hanno dovuto tirare
fuori con il forcipe. Mi è rimasto il segno. Guarda qui, –
e ha accennato alle tempie.

A volte non ha voglia di parlare e stiamo zitti a guardare
la corrente; oppure lui dà un nome agli uccelli che passano, di ognuno descrive il carattere e le abitudini come se
fossero delle persone amiche. Però agita il bastone contro
i corvi, che sono dei prepotenti e gracchiano cosí forte che
danno fastidio. Quando se la prende con i corvi anche il
cane Niombo abbaia e si dà un gran daffare.

A un certo punto dice: la ricreazione è finita. Allora
lo accompagno fino al cancello della villetta dove abita,
al ponte di Sassi. Da dentro arrivano strilli di bambini e i
sacramenti della sua signora. Allora lui fa una faccia ras-
segnata e si scusa allargando le braccia.

La domenica racconto i nostri incontri a mio padre.
– Guarda che non si affezioni troppo, che poi magari si
fa delle idee storte, – dice. – Faresti meglio a frequen-
tare giovani della tua età.

I giorni festivi mio padre li passa a fare progetti di come può ingrandire la fabbrichetta, perché fra due anni ci sarà l'Esposizione Universale per i cinquant'anni dell'Unità d'Italia e prevede che vengano a Torino molti visitatori da tutta Europa. È andato a frugare in un cassetto della sua scrivania e ha tirato fuori un vecchio catalogo tutto sdrucito. È di un editore milanese che si chiama L. F. Cogliati e ha partecipato all'Esposizione del 1898. Porta le biografie degli autori della casa, e mio padre ci ha trovato le

NOTE BIOGRAFICHE DI E. SALGARI

Emilio Salgàri è nato a Verona il 25 agosto 1863 da padre negoziante e da madre veneziana imparentata con uomini di mare. A 14 anni entrava nel R. Istituto Nautico di Venezia, deciso a girarsene per il mondo; a 17 anni, conseguita la patente di capitano marittimo mercantile, si imbarcò come ufficiale, solcando quasi interamente tutti gli oceani, spinto da una insaziabile curiosità e colla mira soprattutto di dare anche al suo paese quella letteratura che aveva dato fama ai Verne, ai Mayne Reid, agli Aimard, ai Cooper e che mancava ancora in Italia.

Per sette anni navigò, tutto osservando, studiando, facendo ovunque escursioni nell'interno delle terre e delle isole, usando tutti i mezzi di locomozione possibili ed immaginabili ed accumulando dovunque tesori di note e di osservazioni su usi, costumi, sulla fauna e sulla flora dei varii paesi. Dall'equatore ai mari polari, tutto ha veduto ed osservato.

A 25 anni, tornato in patria, colla ferma intenzione di realizzare il suo antico sogno, entrò nel giornalismo, ritenendo questo il mezzo migliore per aprirsi la via. Redattore della «Nuova Arena» di Verona prima, poi dell'«Arena». Pubblicò con esito insperato alcuni lavori nelle appendici del primo giornale, poi il Guigoni di Milano pubblicava successivamente «La Favorita del Mahdi» (1886), e le «Duemila leghe sot-

*to l'America» (1887), «La Scimitarra di Buddha» (Milano,
Treves 1890), «I Pescatori di Balene» (id.).*

*Nel 1894 abbandonò il giornalismo per dedicarsi intera-
mente alla letteratura.*

Sono venuto a Torino per intervistarlo la notte del Capodanno 1909. Volevo scrivere un articolo per il «Don Marzio», il settimanale satirico cui mi onoro di collaborare. Volevo conoscere lo scrittore che aveva infiammato i miei anni giovanili, prima che mi applicassi a severi studi di legge che mi hanno fatto dismettere ogni fantasia.

Non ne sono pentito, ma talvolta mi dico che non bisognerebbe mai conoscere di persona gli scrittori che si amano. A frequentarli risultano assai diversi dall'immagine che ce ne siamo fatti; talvolta possono persino deludere le nostre aspettative. Ma troppo forte era la curiosità, o per lo meno il debito di gratitudine che volevo esprimergli. Ad essere sincero fino in fondo, diciamo che sono venuto a Torino per parlare con lo scrittore, ma anche per mandare un estremo saluto alla mia giovinezza; o meglio, all'idea che me ne sono fatto a posteriori. Magari è anche quella un'immagine edulcorata che non corrisponde al vero. Mi chiedo se l'esercizio della memoria, al quale siamo cosí affezionati, non sia una continua contraffazione esercitata in buona fede. Una invenzione, in tutto simile a quelle in cui eccelle il cavalier Salgari.

Come che sia, giunto alla stazione di Porta Nuova e ricevuta ospitalità presso lo zio Giuseppe che esercita qui la professione dell'avvocatura, nel quartiere del Tribunale, non lontano dall'albergo dove si dice sia sceso Mozart giovinetto, ho avuto la prima sorpresa. Sono stato informato che lo scrittore non abita in città, sibbene in un borgo detto della Madonna del Pilone, sul Po, ai piedi della collina di Superga, un chilometro fuori del dazio di piazza Borromini. Poche case raggruppate attorno alla chiesa che ha preso il nome dal miracolo che vi ha operato la Madre Divina due o tre secoli fa, salvando dalle acque una bambina caduta nel canale artificiale che costeggia il fiume, regola le piene e fa muovere alcuni mulini.

Lo zio mi ha spiegato che nella bella stagione il borgo è assai frequentato perché ospita osterie, che qui chiamano *piole*, e ristoranti di buona reputazione, dove si mangiano pesci appena pescati e si bevono barbere gagliarde e freise spumeggianti, che egli sembra conoscere assai bene, da come si intenerisce quando ne parla. D'estate ci si gode il fresco perché è pieno di *tòpie*, pergolati d'uva americana che d'autunno si colorano del rosso delle foglie ed è un bel vedere. Insomma un angolo di campagna alle porte della città, dove si va per stare allegri, un po' come faceva Madama Reale nella sua Vigna appena sopra la città.

Lungo il corso che conduce a Casale (è lì che vive lo scrittore, al numero 298), corre una tramvia che arriva fino a Chivasso, e dall'impegno che mette nel suo incedere e dal conseguente fracasso che fa si direbbe che è diretta a Parigi.

Poco pratico del clima settentrionale, propriamente infame, sono giunto a Torino senza paltò e nemmeno cappello, cosicché lo zio mi ha dovuto infagottare lui alla meglio. Malgrado i tegumenti che mi sono stati forniti, ho battuto i denti per bene mentre aspettavo la partenza della tramvia.

Era appena nevicato, e i platani possenti che crescono lungo le rive del fiume, imbiancati com'erano, offrivano uno spettacolo di arcate gotiche, trine candide e merletti ghiacciati che mi ha fortemente impressionato. Tutto appariva immobile sotto un sole velato e a parte il fumo che si levava da lontani comignoli non un segno di vita esalava dal paesaggio. Mi chiedevo quali pensieri poteva indurre quel raggelato biancore in uno scrittore abituato a imma-

ginare i mari del Sud, a muoversi in mezzo a personaggi
malati di frenesia e immersi in umidori tropicali. Qui ad
ogni respiro, ad ogni parola l'aria fuma. Può mai giungere
l'estate in queste contrade iperboree?

Il conducente, che procedeva con prudenza, scampa-
nellando anche se non ve n'era bisogno, forse per un improvviso moto di allegrezza che gli aveva acceso il cuore,
mi ha avvertito d'esser giunto a destinazione, aggiungen-
do che se volevo rifocillarmi proprio di fronte alla fermata c'era la trattoria della Posta. Si sentiva di consigliarla.

Sono entrato nel locale deserto e il padrone, un cor-
pulento signore avvolto in un grembiule bianco, si è fatto
avanti ad accogliermi. Aveva pochi capelli come me, ma
uno sguardo aperto e quasi gaio. Stava preparando il ve-
glione di Capodanno, appesi alle pareti c'erano festoni di
fiori di carta e lanterne cinesi.

Quando gli ho confessato che era la prima nevicata cui
avessi assistito, non ha faticato a identificarmi per forestie-
ro. Ha presto dimostrato un'affabilità assai diversa dalla
seriosità contegnosa che siamo soliti attribuire ai piemontesi. Rinfrancato, l'ho messo a parte della mia missione.

– Il cavalier Salgari! – ha esclamato. – Lo conosco e
posso persino dire di godere della sua confidenza. È persona semplice e modesta, che conduce vita ritirata, tutto
preso dal lavoro e dall'amore per la famiglia, una fanciulla
e tre diavoletti che la sua signora, una santa donna, fatica
a governare. Ma si sa, oggi mandare avanti una famiglia è
una di quelle imprese che metterebbero a dura prova anche
Ercole. Il cavaliere ospita in casa anche la suocera, brava
donna pure lei, non abituata a metter becco nelle faccende altrui, ma è pur sempre una bocca in piú.

Il signor Giuseppe Demo – questo è il suo nome – mi
ha spiegato che quando il cavaliere vuole discorrere un poco passa qui da lui e insieme ricordano i viaggi di gioventú. Da ragazzo il signor Demo ha fatto il cuoco sulle navi, cominciando da sguattero, ma il mondo dice di averlo

visto poco, perché sempre chiuso in cambusa a sbucciare patate. Cosí quando parlano di porti dove pure lui è stato, per esempio Bombay, è il cavaliere che li racconta con dovizie di particolari. Ad esempio conosce una quantità di cose degli indiani che lui non ha mai saputo, compresi fatti storici, come la sanguinosa rivolta dei cypais che fu altrettanto sanguinosamente repressa dagli inglesi. Invece delle cose che succedono in città – delitti, ruberie, scandali, disordini, scioperi, spettacoli – non si interessa. I giornali non ha il tempo di leggerli, Torino la chiama Grissinopoli e ci va il meno possibile. Ignoro se quelli di Grissinopoli sanno che lui abita qui. È arrivato vent'anni fa per lavorare per degli editori torinesi, i fratelli Speirani specializzati in pubblicazioni edificanti per fanciulli; poi è andato con Donath che sta a Genova e adesso con Bemporad che ha sede in Firenze. Cosicché deve recarsi spesso all'ufficio postale a spedire o ricevere pacchi.

Ho chiesto al signor Demo se nel borgo c'era qualcuno che mi poteva dire qualcosa di lui. Ha risposto che è gentile con tutti, ma confidenza non ne dà molta. Ci sono uomini che stanno per intero nelle loro abitudini, e persino quelle sono poche. Gli piace pescare, ma come pescatore non è troppo fortunato. Lui non lo vuole ammettere, cosí quando non riesce a prendere niente per non fare brutta figura con i famigliari va al mercato e compera pesci. Siccome è distratto acquista pesci di mare e li porta a casa come se li avesse presi lui. Allora sua moglie lo canzona, ride e dice: ma guarda te, hanno fatto il miracolo, c'è il mare a Torino. Che poi sarebbe il sogno del signor Emilio.

Secondo il signor Demo, avrei potuto comunque sentire il parroco, don Ermenegildo, e anzi si è offerto di accompagnarmi da lui. Questo buon prete è un omino piccolo e secco, già avanti negli anni, con tanti ricci bianchi in testa e occhietti pungenti. Ha detto che non poteva dire molto del cavaliere, perché in chiesa non lo vede mai. Vede invece la signora e i figli, che non mancano una funzione e fanno le loro brave offerte. Però la signora dice che anche se non viene in chiesa il marito si comporta da buon cristiano, resta affezionato a certi riti. Per esempio a Pasqua quando squilla il Gloria fa genuflettere i famigliari, gli bagna gli occhi e ci fa sopra il segno della Santa Croce. Poi è profondamente buono, fino all'ingenuità. D'altra parte si sa, gli scrittori e i poeti sono esseri un po' strani, prigionieri del loro mondo. Don Ermenegildo si è anche permesso di mandare un messaggio al cavaliere, tramite la sua signora, un invito a scrivere dei libri piú edificanti, visto che viviamo in un mondo già abbastanza violento per conto suo, con la delinquenza in aumento che c'è, ma non si fa troppe illusioni. Con ogni evidenza, il cavaliere non è capace di scrivere libri diversi da quelli che pubblica.

A questo punto mi sono fatto coraggio, e lo stesso signor Demo mi ha accompagnato alla villetta dei signori Salgari, portando con sé in regalo un vassoio di cartone con cinque dozzine di agnolotti per festeggiare il Capodanno. La neve crocchiava sotto la suola delle mie scarpe di meridionale in Lapponia, avevo il mio bel daffare a restare in piedi e il signor Demo doveva contenersi per non ridere dei miei equilibrismi. *Ch'a staga atènt ch'a sa sghía*, continuava a dire.

Abbiamo bussato con discrezione e ci è venuto ad aprire un bambino un po' spiritato che si è rivelato essere Nadir, il primo dei maschietti. Confesso che mi si è stretto il cuore. Non pensavo certo alle dimore sontuose del D'Annunzio, ma nemmeno che il cavaliere vivesse lí, fuori del mondo. Il salotto fa anche da camera da pranzo e da studio, nel caminetto pieno di cenere non rimossa c'era un tizzone mezzo spento che mandava piú fumo che calore. In un angolo stava un pianoforte a muro, malandato anch'esso.

Lo scrittore aspettava su un vecchio divano spelacchiato, s'è alzato in piedi a fatica. Aveva indosso una giacca di fustagno alla cacciatora e dei pantaloni infilati in un paio

di stivaletti, quasi volesse offrire l'immagine di un vecchio
esploratore. Era il ritratto della stanchezza.

S'è subito fatta avanti la signora, una donna sulla qua-
rantina, piuttosto corpulenta, dal naso impertinente e dai
modi cordiali. Indossava un abito di shantung nero con i
bottoni di perle, e una spilla di granati. Doveva essere il
suo abito piú bello, e s'era ravviata con una certa cura i
capelli legandoli dietro con un nastro. Si capiva che era
eccitata, che si sforzava di diffondere un po' d'allegria. I
ragazzi s'erano affacciati sulla porta della stanza, stavano allineati dietro di lei, come in attesa di dare inizio allo
spettacolo per il quale si erano preparati.

La mia attenzione è subito caduta sul tavolino dello scrittore, zeppo di fascicoli, giornali, cartelle ammonticchiate,
ma anche pugnali, statuette di divinità indiane, collane di
conchiglie, cristalli di minerali, pistole ad acciarino, pipe,
pacchi di tabacco, fotografie, un mappamondo e una bus-
sola. Non so come facesse in quel marasma a ritagliare uno
spazio per scrivere. A fianco c'era un armadio semiaperto,
anche quello rigurgitante di volumi e giornali. Alle pareti,
stavano appesi ai chiodi alcuni fucili e archibugi, un arco
con freccia, uno scudo di cuoio rotondo, varie funi, una
fiocina, canne e reti da pesca, foglie di palma rinsecchite.

La signora ha pregato di scusare «quel mercato delle
pulci». Mio marito è un disordinatore, ha detto, ogni tanto provo a sistemare un po' le carte, ma senza fortuna. È
proprio qui che scrive, ha detto ancora, come se dovesse
vincere la mia incredulità.

Intanto il cavaliere continuava ad accendere una sigaretta dopo l'altra, nella stanza non si poteva quasi respirare dal fumo. Mi sono permesso di chiedere confidenzial-
mente alla signora se fumava sempre cosí tanto. Sempre,
sempre, come Yanez!, ha detto lei.

Abbiamo parlato dei libri che il capitano ha scritto,
cosí tanti che non ricorda piú nemmeno i titoli. Almeno
un'ottantina, senza contare i racconti, gli articoli, le tra-

duzioni dal francese e dall'inglese. Ho poi appreso in seguito che certi suoi libri sono firmati cap. Guido Altieri e Enrico Bertolini e tanti altri nomi, perfino inglesi, perché avendo sottoscritto dei contratti in esclusiva, per pubblicare con altri editori s'è dovuto inventare degli pseudonimi. Un altro scrittore si sarebbe arricchito, ma lui deve aver firmato senza guardare bene le clausole, quasi avesse fretta di liberarsi di quel che aveva scritto, accontentandosi di quei quattro soldi, tutti e subito. Gli editori se ne sono approfittati. Per certi racconti pare gli abbiano dato la miseria di dieci o dodici lire.

Davvero strano il caso di uno scrittore vertiginoso che ha arricchito gli editori ed è rimasto povero! Eppure l'hanno tradotto in Francia, Spagna, Germania, Boemia! Non ci si può credere. Anche quel Donath di Genova, un povero diavolo di tedesco che dicono ebreo, viene in Italia per fare fortuna e trova la sua miniera d'oro nel signor Salgari, che invece è costretto a vivere alla giornata, lottando con la nevrastenia.

La signora ha spiegato che i medici consigliavano il riposo, ma lui senza i suoi personaggi non sa vivere. A quelle parole il capitano si è riscosso, annuendo convinto. Ha detto che staccarsi dalle sue fantasie sarebbe come togliersi la ragione di esistere. Soffre dello *spleen* degli inglesi: per non morire di noia sente il bisogno di inseguire le chimere dei suoi personaggi. Essi lo aiutano a rivivere le avventure che ha vissuto in India, in Groenlandia. Ha ripetuto due volte con soddisfazione la parola *spleen*. Ho l'impressione che sia l'unico lusso che si concede.

Alla signora sono quasi venute le lacrime agli occhi. Ha insistito che lavora troppo, che ha la mente affaticata. Anche se non sembra soffre molto, ha il sistema nervoso irritabile. Ma che! si è schermito lui, non bisogna pensarci, è la solita malattia degli scrittori.

Era l'ultimo dell'anno e bisognava stare allegri per forza. I signori Salgari hanno voluto improvvisare una festicciola per l'ospite. Il capitano ha invitato la figlia Fathima a cantare qualcosa. Questa fanciulla è la nota leggiadra della famiglia. Ha occhi neri e dolci, e voce di contralto. Va tre volte la settimana in città da una stimata maestra di musica, la signora Landi, e si è già esibita con successo al Circolo dei Meridionali. Non si è fatta pregare e anche senza accompagnamento ha cantato romanze napoletane, arie del *Trovatore* e dell'*Aida*. A proposito di Aida, il capitano ha spiegato che lui chiama cosí sua moglie Ida. La signora ha sorriso e fatto un gesto come per dire: non ci badi.

A questo punto della serata il capitano ha fatto stappare una bottiglia di frizzantino dei colli. Beviamo alla marinara!, ha detto, e ha schioccato le labbra in segno d'apprezzamento. Intanto sua moglie ha spiegato che erano andati a vivere lí per via dell'aria pura che scende da Superga, a suo marito piace la campagna dove era cresciuto da piccolo. A Torino non vanno, niente teatri, feste e ritrovi, al massimo a sentire la banda civica che il sabato e i giorni festivi suona in piazza San Carlo, o all'Orto Botanico al Valentino, una volta perfino alla Vaccheria Svizzera, un vezzoso chalet di legno dove danno il latte appena munto. Talvolta il sabato il cavaliere va al Balôn, il mercato dei ferrivecchi, a cercare sciabole e altri cimeli. Io invece sto sempre qua!, ha detto la signora, ci sacrifichiamo per lui. Intanto Nadir mi ha fatto vedere la carabina inglese con cui il padre sparava agli squali, una Remington. I fratelli piú piccoli, che giravano armati di pugnaletti e pistole, si sono messi a gridare: A me, Carmaux! Attento alle spalle, Wan Stiller! Il capitano ha cercato di farli stare un po' zitti e mi ha invitato a guardare Omar: non era un piccolo indiano tal quale?

Quando è giunta l'ora del congedo l'ho abbracciato forte, e nel gesto ho come toccato con mano la sua fragilità. Mentre i suoi famigliari mi accompagnavano al cancello, pregandomi anche loro di stare attento a non scivolare, è rimasto sulla porta a salutare. Conservo l'immagine di una figuretta nera nel riverbero creato dalla neve.

Sono tornato a casa di zio Giuseppe oppresso dalla mestizia. Gli auguri, le grida e i canti che siamo soliti scambiare per il Capodanno mi hanno messo tristezza e addirittura irritato. Avrei voluto far tacere i passanti. Per fortuna lo zio si era già ritirato e ne ho approfittato per rifugiarmi nella stanza assegnatami. Sapeva di chiuso e di canfora. Un rametto d'ulivo pendeva grigio di polvere da un quadretto della Madonna di Pompei.

La notte ho sognato il capitano. Stava in piedi sul cassero di un galeone dalle vele nere che prendeva il largo senza che alcun marinaio a bordo lo governasse. Salutava con gesti larghi e lenti. Non sembrava triste o malinconico, ma anzi placato.

Il gentile signor Casulli si fece premura di inviare ai signori Salgari una copia del «Don Marzio» con l'articolo. Gli abitanti della Madonna del Pilone lo lessero con estrema attenzione. Alcuni trovarono che il quadretto domestico era toccante, altri dissero che era tutta una commedia, e si sapeva bene come stavano le cose per davvero. Il signor Demo, che non aveva grande stima dei giornalisti, mutò radicalmente opinione. Garantiva ai vicini e ai clienti che quel napoletano era un vero galantuomo oltreché un ottimo giornalista.

Nell'articolo si poteva leggere tra l'altro:

La semplicità della casa e la schietta cortesia degli abitanti si accordano e si completano. Nemmeno l'ombra del lusso. In quella famiglia tutto è semplicità, intelligenza ed energia. La signora di Emilio Salgari è una di quella creature nate, come il sole, per illuminare e riscaldare la santità della vita famigliare. Al di là del marito e dei figlioli non vuol guardare: sí che dalla sua parola, dai suoi occhi, dalla sua persona, emana un fascino antico di bontà, di sincerità, di cortesia, di affetto.

Gentile signor Casulli,

anche a nome di mio marito, desidero ringraziarla dal profondo del cuore per le buone, care, generose parole che ha voluto dedicare alla nostra famiglia e a me personalmente. Ella ci ha fatto un grande regalo, e le assicuro che non è cosa che accade spesso.

Non so il perché, ma Lei a prima vista mi è parso un intimo della mia famiglia. La confidenza ispiratami dai suoi modi cortesi verso i miei cari ha fatto sí che la consideri come un figlio maggiore in grado di dare alla madre una soddisfazione da tanto tempo sognata. Ecco, di che si tratterebbe?

Nella massima segretezza, far riposare Salgari, perché ad onta del buon umore che quel giorno ha dimostrato, creda signor Casulli, i giorni tristi e le notti angosciose che passo Lei non può e non potrà mai immaginarle. Parla sempre di morire... mi dice di farlo morire... perché è stanco, molto stanco. Si sveglia di soprassalto, mormora frasi incomprensibili e poi forte esclama: «Ho paura, ho paura». «Ma di', che cosa ti fa paura?», «Oh che oppressione! Tutto... tutto mi fa paura», risponde. «Ma dimmi, spiegami una buona volta che cos'è che ti spaventa, che cos'è che ti opprime?», «Non so spiegarti... Meglio morire, meglio morire...» E si abbandona inerte come se le forze gli venissero meno.

Ecco che tutta la triste scena che fugacemente le ho accennata mi si affaccia di continuo e vorrei descrivergliela meglio, se non fossi indiscreta nell'abusare della di Lei bontà, ma non mancherà occasione qualora Lei mi incoraggi con una sola parola. Ed ora veniamo al movente o meglio ancora alla conclusione dell'idea che mi tortura il cervello, perché spero che Lei vorrà venirmi in aiuto. Si tratterebbe di aprire una sottoscrizione fra gli ammiratori di Salgari e far credere che fosse un regalo che, concordi, tutti i giovinetti italiani volessero fare al loro scrittore…

Mi scusi se mi sono permessa di abusare della Sua gentilezza e confidenza, signor Casulli, ma si arriva a dei momenti, nella vita, che bisogna farsi forza e tentare anche quello che mai si penserebbe di osare.

Mi perdoni e mi compatisca. Glielo chiede con tutto il cuore la Sua devotissima e riconoscente amica

Ida Salgari

Il viaggio

Agli esami autunnali da privatista presso la Scuola Tecnica Regia di Verona l'avevano bocciato. Andava bene in storia, geografia e italiano orale, ma aveva cinque in italiano scritto, matematica, francese scritto, calligrafia e perfino in disegno, lui che disegnava brigantini e battaglie navali dappertutto, persino sui polsini delle camicie. Lo bocciarono anche l'anno dopo, perché non s'era presentato agli esami autunnali malgrado avesse solo due insufficienze. Stava sempre in biblioteca, questo sí, ma aveva occhi solo per le letture che lo appassionavano, Verne, Boussenard e Mayne Reid. Scriveva racconti di avventure, a imitazione dei maestri. Fortuna che aveva un professore che lo incoraggiava, l'abate Caliari, che sembrava un moschettiere di Dumas e scriveva romanzi storici anche lui, come il Manzoni.

A sedici anni lo mandarono come uditore al primo corso del Regio Istituto Tecnico e Nautico Paolo Sarpi, a Venezia. Stava da zia Filomena a Frezzeria-Piscina san Fantin, ma a casa lo vedevano poco. Sui libri non si logorava. Passava i pomeriggi a contemplare i vascelli attraccati agli Schiavoni, le golette, gli sciabecchi che venivano dall'Africa e dall'Oriente, i bragozzi chioggiotti. C'erano marinai d'ogni razza e lingua, i loro discorsi incomprensibili a lui parevano melodiosi. Spiava il loro modo di trafficare nella nave, di lavare i ponti, persino di grattarsi i testicoli, di accendere la pipa, di sputare per terra. Immaginava le mercanzie, le destinazioni, le rotte: Gibilterra, il Capo di Buona Speranza, i mari del Sud. I berretti dei capitani erano per lui delle corone regali. Seguiva i marinai nelle osterie, imitava il loro modo di trincare, di contrattare con le donne; si beava di odori acri, fatti di sudore salato, fumo e vino cattivo.

In estate riuscí a farsi prendere come mozzo su un trabiccolo da trasporto che faceva la spola tra i porti dell'Adriatico. Si chiamava *Italia Una*, ci voleva un bel coraggio a evocare l'Unità d'Italia con un vecchio trabiccolo, un *topo* di quattordici metri, a fondo piatto, che stava insieme per miracolo, una grossa vela dietro e una piú piccola davanti, però belle colorate, e due occhi di sirena dipinti a prua. A distanza di anni il mozzo era ancora in grado di sentire nelle vene e nei muscoli la gioia selvaggia che lo aveva preso all'uscita del porto, a Pellestrina, quando l'*Italia Una* aveva affrontato il mare aperto. S'era esaltato della forza invisibile che spingeva avanti il *topo*, della tensione che metteva al sartiame, della placida determinazione con cui la chiglia apriva l'acqua. Per quello era nato. Aveva trovato la sua ragione di vita.

L'esaltazione era durata poco. Erano finiti in una bonaccia di giorni: l'Adriatico aveva i colori malati di uno stagno, pesci non ne vedevano, altre navi passavano troppo lontano, non accadeva niente. Il ponte era una graticola, si dormiva in mezzo alle balle del trasporto, il capitano era malmostoso, il cibo pessimo: gallette molli, pesci rinsecchiti. Un'agonia.

Dopo quindici giorni una tempesta aveva sorpreso l'*Italia Una* al largo della Dalmazia. Ogni volta che il vecchio barcone infilava il naso nell'acqua (si ingavonava, amava precisare lui) sembrava non avesse piú la forza di tirarlo fuori; le onde color del piombo facevano rantolare le fiancate. Un'onda piú maligna delle altre aveva già trascinato il mozzo oltre il parapetto. L'avevano salvato per miracolo arpionandolo come un tonno.

La burrasca non aveva dato tregua per quarantott'ore,

invano il barco s'era messo alla cappa cercando scampo
sottocosta. Lui già vedeva i registri navali e una nota accanto al suo nome: disperso in mare. Mentre aspettava di
annegare come una pantegana tutto quello che gli veniva
di pensare era che non avrebbe piú mangiato i minestro-
ni di verdura di sua madre, insaporiti delle erbe di fosso
che lei sola conosceva.

Catafratto nella cerata irrigidita, si sentiva già sotto
sale. Gli venne in mente il venditore di acciughe a Pozzo
San Marco, il vicolo sotto casa, le grosse scatole di latta
gialla dove cristalli iridescenti trasfiguravano le acciughe
in reliquie minerali, mezzo pesci e mezzo reperti geologi-
ci. Forse erano stati proprio i barbagli dei cristalli a mettergli voglia di mare.

Piú tardi, parlando della tempesta della sua vita cercava
di descrivere «il richiamo dell'abisso». Confessava d'aver
sentito la voluttà d'abbandonarsi al nulla che lo chiamava
dalle profondità. Citava la storia del marinaio di Poe che
finisce nel vortice del maelström e il fascino dell'orrore era
piú forte della paura.

Adesso che era alla fine del viaggio, scopriva che i suoi
personaggi non avevano fatto altro che ascoltare il richiamo dell'abisso. Corteggiavano la morte per sentirsi vivi.
Costeggiavano la vita per meglio sprofondare nel Nulla.

Quando aveva rimesso piede sulla banchina di Pellestrina, ondeggiando come un ubriaco, s'era giurato che non
avrebbe piú viaggiato per mare.

Dai quaderni di Angiolina

10 settembre 1909

Ha addosso il soprabito anche d'estate. Non si lamenta mai del caldo, nemmeno nei giorni piú afosi. Gli ho raccontato che abbiamo fatto un po' di villeggiatura in un paese del Canavese. Lui invece non si è mosso di qui perché per lavorare ha bisogno delle sue carte e trasportarle altrove sarebbe troppo complicato; ma soprattutto non può stare senza il suo tavolino di lavoro, che è smontabile. Dice che lo ama piú di una fidanzata, anche se è sbilenco e traballante o forse proprio per quello. Però il Canavese lo conosce, ha passato vacanze ad Alpette, ma la montagna non lo attrae. Preferisce il mare.

Adesso che mi sento un po' in confidenza l'ho pregato di darmi del tu, che in fondo ho l'età di sua figlia.

– Va bene, *butèla*, – ha detto, e ha sospirato pensoso.

Gli ho chiesto se scrivere è una questione di talento, una dote naturale o cos'altro. Si è messo di nuovo a frugare per terra con il bastone. Ha cercato le parole con cura:

– Si scrive per vivere molte vite. La tua non ti basta, già decisa com'è dal principio alla fine. Si scrive perché ti senti stretto. Perché vuoi essere un altro. Perché vuoi essere considerato e stimato. Perché hai bisogno di qualcuno che ti dica bravo. Perché sei povero. Perché ti vergogni della casa dove stai. Perché non vuoi fare il mestiere che fa tuo padre. Perché non hai i soldi per viaggiare. Per pagarti le donne che vuoi, quelle che vorresti portare al ristorante o all'opera. Perché vuoi fargliela vedere a qualcuno, ai prepotenti, agli invidiosi.

Ha fatto una smorfia e ha proseguito: – A quelli che ridono di te. Cara mia, si impara presto a capire che gli altri sono cattivi. Sei gobbo, sei guercio, sei sciancato, un asino ti dà un calcio, scivoli e batti il culo? Ridono contenti. Niente li diverte come le disgrazie altrui.

Ho detto che volevo imparare lo stesso quel mestiere da spavento. Ma non per copiare lui, lo facevano già tanti. Non mi piaceva rubare. Volevo che mi insegnasse come si costruiscono le storie, al modo che gli ingegneri costruiscono i ponti.

Guardava il mare tremolante di riflessi che al tramonto il sole fa sul fiume.

– Ci vuole il fuoco, quello ce l'hai o non ce l'hai, la testa che non sta mai ferma. Però leggere serve. Per imparare bisogna fare come i pittori quando copiano i maestri. Guardare da vicino, ma proprio da vicino, ogni pennellata, se è larga o sottile, quanto colore c'è dentro, e come stanno insieme le pennellate. Bisogna fare come fanno le rondini o gli scoiattoli, che mettono via roba, quella che serve per costruire un nido, cosí che quando arriva il momento puoi scegliere in mezzo ai materiali che hai raccolto. Ci vogliono occhi buoni e candele. Però leggere è divertente, lo sai. Dumas, per esempio, che energia. Ha scritto piú libri di me, che è tutto dire. Però il piú bravo di tutti è quell'americano, Poe. Un mago, un visionario. Anche lui l'hanno tenuto fuori dalla società letteraria perché era strano, non si sapeva in che categoria metterlo. Se stai fuori dal gregge sei finito.

Poe piace anche a me, mi aveva entusiasmato la storia dell'orango assassino. Ho chiesto se anche la sua scimmia, di cui parlava tutto il quartiere, era pericolosa.

– Peperita? Pericolosa no, per il momento, ma siccome è una scimmia e imita quello che fanno gli altri, sto attento che lei non mi guardi quando mi faccio la barba perché poi le vengono delle idee con il rasoio.

Alla parola «rasoio» ho sentito un brivido. Le lame mi

hanno sempre fatto ribrezzo. Da bambina spiavo mio padre che si faceva la barba. Mi piaceva quando era tutto bianco di schiuma come una nuvola riccia (lui dice: la barba insaponata a volontà è già fatta per metà!) Ma quando afferrava il rasoio e cominciava a stirare la pelle del collo con le dita, guardandosi nello specchio un po' di lato, scappavo via. Difatti ogni tanto si faceva dei taglietti e ci metteva sopra dei bastoncini di allume di rocca per fermare il sangue.

Ho confessato al capitano d'aver fatto le notti anche su *L'isola misteriosa* di Verne. Il momento piú emozionante è quando una scatola di chinino compare per incanto nella camera del malato e si capisce che ce l'ha portata il Capitano Nemo. Mi sentivo protetta anch'io dal Capitano Nemo che pensava sempre a tutto come un buon padre. Ci fosse stato bisogno, sarebbe arrivato fino alla Madonna del Pilone per uno dei suoi gesti benefici. Sarebbe stato un bel Re, il Capitano Nemo. Invece mio padre dice che il Re che ci abbiamo non fa una gran figura, non solo perché è un nanetto, ma perché si muove sempre un po' a scatti come un burattino che non sa dove andare. La Regina che è alta il doppio di lui sembra la sua governante. Però con il capitano non si può dir niente di Casa Reale. Questo l'ho capito subito.

– Io da Verne ci ho imparato molto, – ha detto a bassa voce, – e mi fa anche piacere quando mi chiamano il Verne italiano e un po' me lo dico anche da solo cosí capiscono subito cosa faccio, ma a essere sinceri l'è anche un po' *'na secàda*. Sempre lí a fare lezioni come un professore di scienze, a spiegare per disteso la rava e la fava. Ha la prosopopea dei francesi che si credono piú degli altri, e invece sono dei gran colonialisti, sfruttatori di popoli, peggio degli inglesi! Anch'io metto delle notizie scientifiche nei miei romanzi ma, primo, è perché sono cose che ho visto con i miei occhi; secondo, le devi lasciar cadere come se tutti sapessero cosa sono, è importante il suono che danno. La musica che fanno. Come un gioco di magia. Musica. Con che cosa li incanti i cobra? Con il flauto. Ti-ri-ri, ti-ri-ri e loro si mettono a ballare. I lettori son come i cobra, li devi tirare fuori dal cestino. Bisogna sussurrargli *mamplàm*...

– Bisogna cantargli *sciambàga, rotàng, duriòn*...

Gli occhi opachi del capitano hanno mandato un lampo di soddisfazione:

– Brava signorina Sotutto, vedo che capisci in fretta e hai la memoria buona. Devi essere stata in gamba, a scuola.

– Studiare mi piaceva. Avrei voluto andare all'università ma mio padre ha detto che dovevo aiutarlo in ditta a tenere la contabilità, anche se sono scarsa in matematica.

– Proprio come me, – ha detto il capitano, – mi bocciavano sempre in matematica e francese. E in trigonometria e astronomia. A scuola non riuscivo a star fermo. Quello che ho imparato, l'ho imparato in mare.

– Io invece, non mi vergogno a dirlo, ero la prima della classe, come Derossi... Proprio perché andavo bene, per premio mi facevo regalare dei libri, anche dai parenti, ogni occasione era buona. Cosí ho una bella collezione.

– Tuoni d'Amburgo! – si è divertito a farmi il verso.

– Dapprincipio i miei non capivano perché non mi piacevano le bambole. Non approvavano nemmeno che giocassi tanto con i monelli di strada, e tornassi a casa piena di lividi e graffi. Dicevano che ero disgiusta. Sono un fiero maharatto!, gli ribattevo io. Si preoccupavano. Per fortuna a mio padre, con tutto che fa liquori, gli piace leggere, ha tutti i manuali Hoepli, perfino quello su come si costruiscono le fogne che poi non capisco perché si interessi anche alle fogne. Ma lui si interessa di tutto.

La notizia ha colpito il capitano. Ha chiesto se gli potevo imprestare proprio quel manuale perché stava giusto pensando una storia ambientata in India dove i malvagi vivono in un mondo sotterraneo da cui escono come topi inferociti per avvelenare i ministri di Yanez, che nel frattempo è diventato imperatore.

– Forse il mondo sotterraneo è meglio di quello di sopra. Chi può dirlo, – ha sospirato.

Gli ho portato il manuale Hoepli ed è rimasto contento perché cosí si risparmiava di andare in biblioteca, e i dieci centesimi della corsa in tram. Ha passato la vita in biblioteca, o sui tram per andare in biblioteca, non ne può piú, anche se l'unica vacanza che si concede è proprio quando va in biblioteca.

– Ho tutti i libri del mondo chiusi qui dentro, – ha detto toccandosi la fronte, – però adesso si stanno mescolando insieme come foglie secche. Li confondo, confondo gli autori. Questo l'ha detto Boussenard o Aimard? O sta nel «Giornale dei viaggi»? Fortuna che ho le mie vecchie schede, almeno quelle non sbagliano mai.

Ha spiegato che da giovane i libri non ti bastano mai, invece quando sei avanti con gli anni capisci che quelli che servono per davvero sono pochi. Adesso l'idea che ci siano dei libri che aspettano di essere letti da lui gli mette angoscia. Troppi libri che lo tirano per la giacca. Gli sussurrano che loro se ne staranno lí belli tranquilli anche quando lui sarà morto da un pezzo.

Quando gli viene su il cattivo umore si scusa subito, cerca di non mettermi in imbarazzo:

– Ma tu non stare a sentire questi discorsi da vecchi. Dimmi che cosa ti è piaciuto fino adesso.

Ho detto che ho cominciato a leggere non perché me l'aveva detto mio padre ma perché c'erano libri in casa. Mi piacevano le relazioni di viaggi, anche quelli di fantasia. Per esempio i *Viaggi straordinarissimi di Saturnino Farandola* del Robida. Mi faceva anche ridere, Robida, quando chiama i sarcofaghi delle mummie «scatole funebri». O quando fa rubare l'elefante bianco del re del Siam da ignoti malfattori. È uno che scherza volentieri. A un certo punto fa persino incontrare Farandola con il Capitano Nemo.

– Robida lo conosco anche lui. Gli piace scherzare, fare lo spiritoso, sí. Ma tu comincia restando sul serio, che a

scherzare c'è sempre tempo, dopo, quando te lo puoi permettere. Sembra che scherzare sia come ammettere una
debolezza. Non li vedi come girano tutti impettiti, manco
avessero mangiato un manico di scopa? A me tutta questa serietà mi fa venire voglia di tirargli la barba per vedere se è vera.

Eravamo già al suo cancello che ha detto:

– Stavo per dimenticarmene. Ti ho portato una vera
carta del Borneo. È per i viaggi di Saturnina, per orientarsi nel lontano Oriente.

Ha tentato una carezza lieve, nel buio.

Mi chiama Saturnina da quel giorno.

Ho capito che non voglio scrivere per raccontare storie
d'avventure che non ho vissuto, come fanno i suoi tanti
imitatori mandandolo in bestia, o racconti umoristici, di
quelli che si leggono nei periodici per ridere, che ogni giorno ne esce uno nuovo, ma a me ridere non fanno.

Voglio raccontare quello che hanno dentro gli uomini
e non si vede.

Voglio raccontare il capitano. Come fa a tirar fuori tante storie da quella testa rotonda. Stando qui, in un angolo
sperso di campagna. Voglio capire quanti capitani stanno
nel capitano.

Sento il bisogno di scrivere le cose che dice durante le
nostre passeggiate su questo quaderno che m'è rimasto
dalla scuola. Persino quelle che lui non dice.

La danza del derviscio

I giorni di festa andava a trovare le cugine, le parenti ricche. Si presentava con un berrettuccio liso da marinaio, una vecchia pipa che sporgeva con noncuranza dal taschino, talvolta in compagnia di bastardini tutti diversi tra loro, ma petulanti allo stesso modo.

Cercava di imbarlugare le cugine, cosí diceva la zia, con le descrizioni dei viaggi che aveva fatto in India e in Africa. Al sentire parlare di Africa la zia alzava gli occhi al cielo e invocava la Vergine. Invano lui chiedeva dei pezzi di bambú per dare una pratica dimostrazione di come i selvaggi del Borneo sapevano accendere il fuoco con gli stecchi: era facile, aveva imparato in fretta. Invano aveva sussurrato a Ada, la maggiore, la piú bella delle cugine, che il nero lucente dei suoi capelli mandava fulgori che nemmeno le capigliature di certe maharani quando sfilano sulla groppa dei loro maestosi elefanti riccamente ingualdrappati.

Ada aveva il sedere a mandolino e un petto ribaldo, che le camicette color crema rivelavano assai piú che nascondere. Tenendo la schiena ben diritta, lei lo ostendeva come se fosse un'onorificenza, o addirittura il Santissimo quando lo portano in processione. Era difficile riuscire a toglierle lo sguardo di dosso. Per non apparire sconveniente, il marinaio doveva costringersi a sostare alle finestre e guardar giú il movimento in piazza di Santa Maria Formosa. Quando aveva cercato di descrivere quel petto agli amici veronesi, senza naturalmente nominare la proprietaria, i mentecatti avevano riso sguaiatamente, insinuando che fosse gonfiato artificialmente. Lui su quel petto al di là di ogni possibile raffigurazione s'era sfinito per mesi, fantasticando di cavare dalla gola di Ada trilli di piacere degni delle note emesse dalla Regina della Notte: che sono con ogni evidenza la trasposizione musicale di un'estasi amorosa.

Quando la sorella Welda si metteva al pianoforte, Ada trovava sempre una scusa per non ballare con lui. Allora il cugino di campagna, come lo chiamavano, si metteva a ballare da solo, dichiarando di eseguire la danza dei dervisci. Sulle loro danze rituali era prodigo di informazioni. Piroettava su se stesso per interi minuti, gli occhi socchiusi, assorto, concentrato, le labbra increspate dal sorriso dei mistici. La zia temeva che il derviscio potesse perdere l'equilibrio e franare sulle credenze, per fargli posto faceva spostare tavoli e sedie. Le ragazze ridevano. Per riportarlo sulla terra la zia batteva un bicchierino contro la bottiglia del marsala. A Emilio piaceva intingere i baícoli nel marsala, fino a quando la zia diceva: adesso basta che poi stasera *te imbriàghi*.

Quando si sentiva ispirato il cugino reclamava il piano, da cui cacciava Welda, e scuotendo la criniera come un compositore invasato pestava le grosse dita sui tasti. Voleva eseguire una sua composizione dal titolo *Uragano tropicale*, ispirata a una tempesta di mare cui era miracolosamente scampato. Suonava come Sandokan.

Fece scorrere le dita sulla tastiera traendo dei suoni rapidissimi e che avevano qualcosa di strano, di selvaggio e che poi rallentò finché si spensero fra gli scrosci delle folgori ed i fischi del vento.

Quando si assestava al piano, Ada scuoteva la testa e si ritirava con un cenno d'intesa alla madre. In corridoio, Emilio aveva fatto in tempo a cogliere un suo gesto alle sorelle: il marinaio non aveva le rotelle a posto. Tornando in treno aveva pianto di stizza sino a Padova.

Il mondo è sempre stato pieno di artisti incompresi. Come poteva Ada non vedere quello che lui era veramente, al di là delle apparenze? Per anni aveva continuato a chiedersi se lei, andata in moglie al figlio di un notaio di Cannaregio, aveva saputo dei suoi successi, se magari si era ricreduta e pentita delle lontane sgarberie, se era perfino arrivata a dedicargli un briciolo d'ammirazione, d'apprezzamento.

Aveva chiamato Ada l'eroina dei *Misteri della jungla nera*, la Vergine della Pagoda che deve essere sacrificata alla sanguinaria dea Kalí. Era di Ada la voce «dolce come le note del *saranguy*» che sussurra a Tremal-Naik «Io t'ho amato, prode figlio della jungla, t'amo sempre, ma...», e nella funebre oscurità della pagoda maledice la divinità assassina, la dea serpente dalla testa di donna e dalle quattro braccia, adorna di una collana di teschi, una cintura di mani e braccia mozzate ai fianchi, la faccia tatuata, la lingua tinta di carminio esibita in un feroce sberleffo.

A distanza di anni, Emilio immaginava con delizia la conturbata sorpresa di Ada che si riconosce nella descrizione della vergine: «la taglia graziosa, le forme superbamente eleganti», gli occhi grandi, neri e scintillanti come diamanti, le sottili labbra coralline schiuse a un melanconico sorriso che lasciava scorgere due fila di denti d'abbagliante bianchezza; l'opulenta capigliatura d'un castano cupo, fuligginoso, raccolta in nodi e intrecciata con i fiori di *sciambàga* dal soave profumo. L'abito sacro che la cingeva era lo stesso che lui le aveva descritto in salotto quando la zia s'era allontanata per preparare la merenda. L'aveva visto con i suoi occhi in India, e un giorno non lontano – giurava – glielo avrebbe cinto di persona: il corpetto d'oro tempestato dei piú bei diamanti del Golconda e del Guzerate, avvolto in uno scialle di cachemire trapunto d'argento; le molteplici collane di perle e di diamanti grossi come nocciuole, i larghi braccialetti tempestati di pietre preziose, i cerchietti di corallo alle caviglie nude.

– Vago fiore della jungla! – le aveva sussurrato congedandosi.

– *Il tuo nome?*
– *Ada Corishant.*
– *Ada Corishant! Ah! Quanto è bello questo nome! Va',
nobile creatura, a mezzanotte t'attendo!*

Caris era il distinto avvocato di Verona padre della bionda fanciulla quattordicenne che egli aveva amato perdutamente nell'inverno del 1883 soltanto per averla vista di lontano. Ai colleghi di redazione aveva detto che, non potendo averla, tanto valeva tagliarsi la gola. Mimava il gesto sogghignando amaramente, brandendo un coltellaccio catalano che diceva d'aver acquistato in un porto spagnolo.

Con gli anni, il volto di Ada s'era confuso con quello della signorina Caris, che a sua volta s'era sovrapposto con quello di un'altra sublime creatura, la pallida figlia di Albione che aveva visto sorbire una limonata in un caffè cittadino in compagnia del padre, «la sua Beatrice», diceva; e con le angeliche fattezze del soprano polacco Sofia Brajnin, apprezzatissima Abigaille nel *Nabucco* di Verdi al Teatro Ristori. Lui le aveva dedicato una poesia che poi aveva fatto stampare dalla tipografia della «Nuova Arena»:

A te, cui nella verde primavera
Della ridente etade
Sublime uscir dalla volgare schiera
L'arte del canto e l'armonia süave
Leggiadro fior, mirabile Sofia
Innalza l'inno a te l'anima mia.

Aveva provato brividi di godimento profondo nel rappresentare «l'angoscioso terrore dipinto sul volto» della quattordicenne Ada avviata al sacrificio. I tremori delle sue eroine lo eccitavano piú dell'idea della salvazione che sarebbe immancabilmente seguita.

Giura che tu sarai mia sposa!, la incalzava Tremal-Naik.

Appartengo alla morte!, rispondeva lei. Fuggi, pietà di me!

Tremendo mistero. Scrivendo, atteggiava le labbra al sogghigno dello strangolatore Manciadi, che torturato con il fuoco gode a descrivere il sacrificio che sta per compiersi:

... La tua Ada... la donna che tu ami... morrà!... Quale gioia, al pensare... che proverà i miei stessi tormenti... Mi pare di udire le sue urla... guardala là... legata sulla fiammeggiante pira... Suyodhana sogghigna... i «Thugs» le danzano intorno... Kalí sorride... Ecco le fiamme che l'avvolgono... Ah! Ah! Ah!...

Il capitano sapeva che la scena del sacrificio, con il corteo delle prostitute sacre, le snelle e flessuose *devadasí*, i cortei degli strangolatori con i grandi vasi-tamburo, i campanelli di bronzo, i *ramsinga*, i *taré* e i tam-tam, il crescendo di suoni spaventevoli, e Ada pallida e stordita dall'oppio, era una delle piú belle pagine che avesse scritto. Molto piú emozionante della piú sontuosa rappresentazione dell'*Aida*. Glielo aveva scritto anche una poetessa di Montebelluna che si dichiarava sua ammiratrice.

Il momento terribile era vicino. Già Suyodhana aveva dato fuoco alla pira e le fiamme s'alzavano, a guisa d'immani serpenti, verso la volta della caverna; già gli strangolatori assordandola con mille urli la trascinavano; già i tamburi e i taré intonavano la marcia della morte.

Lui la cugina Ada avrebbe voluto prenderla cosí: sfatta, molle, anelante, perduta. Farle pagare tutto.

Selvaggio malese

Sono in giardino. Fa caldo, Aida cerca un filo d'aria sventolando un vecchio ventaglio che usa anche per il fuoco, in cucina. Il pomeriggio è immobile, le mosche fameliche.

– *Te me pari una múmia*, – dice lei. Il capitano alza le spalle, non risponde. Pensa che fare la mummia è un lusso che a lui non è concesso.

A letto ripensa alla storia della mummia. Ha ragione la *parona*, si è ridotto a guardare il mondo come da dentro un sarcofago. Ma di quale mondo dovrebbe interessarsi? Delle lotte sociali, di quelle teste calde degli agitatori socialisti e delle loro utopie, degli scioperi nelle fabbriche tessili, delle misere paghe degli operai, dei bambini rachitici, della piaga dell'analfabetismo e della malnutrizione, della pellagra, delle colonie? A nessuno interessa quel che lui pensa del mondo d'oggi. Il caro Bemporad, il suo editore, ci ha messo sei anni a decidersi di pubblicare *La Bohème italiana*, gliel'ha pagata un'elemosina, 250 lire, un decimo di quello che gli dà per gli altri libri, perché non è un romanzo dei suoi soliti. Sapeva bene quanto lui ci teneva, ma l'ha liquidato come un capriccio, un'impuntatura. Gli ha dato uno zuccherino, purché l'asino continui a spingere la macina, a sfornare libri con belle copertine colorate che si vendono come il pane. A chi poteva interessare la storia di quattro artistoidi spiantati, senza mai il becco di un quattrino, che si ritrovano in una soffitta di Torino o in una catapecchia di campagna ad architettare burle, che si travestono da marinai, da pirati o da fantasmi, si fanno

fotografare accanto ad animali impagliati, si ubriacano di
vino mediocre – piú aceto che vino – e organizzano feste a
base di maccheroni conditi con campioncini di burro rime-
diati in giro? Perché ci teneva tanto? Vai a capire. Eppure
non sembrava di quelli che si atteggiano ad artisti e vogliono imitare i personaggi di Murger e di Puccini. Lavoratore
com'era, proprio il contrario di quei poveri falliti di bo-
hémien che credono di farsi beffe dei borghesi impagliati.

Il capitano tiene in fondo all'armadio una cartella su cui
ha scritto «Cimeli». Ci ha messo i certificati di nascita dei
figli, vecchie pagelle di scuola, cartoline, due telegrammi
di parenti che non vede mai, le lettere che ha scritto ad
Aida ai tempi del corteggiamento. Non le rilegge e non le
ricorda. Aida invece le sa a memoria, c'era un tempo che
le recitava perfino. Adesso se le rievoca è per parlarne come degli sfoghi di un matto e di un bugiardo.

Il capitano deve fare sforzi anche per ricordare l'agitazione allo stomaco che lo prendeva quando stava ad attenderla
all'uscita degli artisti al Teatro Nuovo o all'Aporti con un
mazzetto di viole. *Ancora ti!*, rideva lei, e sciamava allegra
con i compagni di scena verso il solito caffè. Lui cercava
di farla bere, ma la signorina Peruzzi poteva scolare una
bottiglia intera senza perdere la trebisonda. Gli decantava
certe colleghe artiste che non fanno tante storie in fatto
di corteggiatori. Poi se ne andava via con qualcun altro.

*Cosa avete fatto del mio cuore che un tempo era inacces-
sibile ad ogni passione?*

Piú lei faceva la preziosa, piú lui la tempestava di lettere accorate.

*Tutte le follie di cui un uomo è capace io le ho provate:
nato in una notte di tempesta, vissuto fra le tempeste e gli oceani ove l'anima diventa selvaggia, e le tempeste del giornalismo
ove ogni pazzia diventa un dovere, la mia vita doveva essere*

tempestosa per necessità. Ma un giorno ho veduto voi, e in me si è operato uno strano cambiamento, ho sentito come il bisogno di amare, ma realmente amare fuori dalle tempeste in cui ero vissuto fino a ieri; ho sentito come il bisogno di porre un freno agli impeti ardenti del sangue febbricitante e agli impeti irrefrenabili dell'anima selvaggia. E, non so: da giorni sento per la seconda volta, in vita mia, una strana fiammata invadermi questo cuore che non credevo piú accessibile ad alcuna reale passione, dopo una terribile disillusione provata nella prima giovinezza, che ho trascinata, terribile martirio, nelle mie corse attraverso i mari.

Alludeva anche agli urti che il destino gli aveva inflitto in un paese di belve e di vendette che non veniva specificato. Se poteva sembrare inquieto o poco espansivo, era perché quel passato aveva lasciato tracce incancellabili, che di quando in quando risvegliavano in lui gli impeti di una natura violenta e anzi procellosa. In una lettera dell'estate 1891 diceva d'amarla immensamente, di sognarla nelle sue notti tormentose:

… Assorbi tutto il pensiero mio e soffro in silenzio, tacitamente, dell'indifferenza tua, e quanto anche! Non so, tu mi hai stregato, sento per istinto che tu mi spezzerai l'anima, che mi avvelenerai questa fantasia che lotta giorno per giorno per farmi un nome, sento che il nostro amore per qualcuno di noi sarà terribile, sarà fatale e questo qualcuno sarò io perché non saprò mai dimenticarti.

Se tanto lottava, era per crearsi una sicura agiatezza da dividere con lei se un giorno fosse diventata la compagna della vita e avessero realizzato quello che chiamava «il loro sogno». La sorte, il futuro, tutto, dipendeva da una parola di lei. Lui aveva fede, un'immensa speranza. Il destino gli doveva una rivincita, non gliela poteva negare ulteriormente.

Aida leggeva, sorrideva, dubitava, aggrottava la fronte, le sopracciglia le si univano in una sola riga. Il giornalista si firmava «selvaggio malese», ma lei non aveva visto nessuno di piú veneto, di piú terragno. Di piú famigliare. Avvertiva confusamente l'accanimento infantile che metteva nel voler essere un altro, eppure quell'ostinazione glielo rendeva piú vicino. Anche lei non si accontentava. Recitava anche lei: con suo fratello, nella compagnia di filodrammatici Paolo Ferrari, perché ogni sera voleva essere qualcun'altra, perché si sentiva viva solo quando si ritrovava sulle vecchie tavole, nei camerini umidi. Nella dizione era cosí precipitosa che il direttore di scena la pregava di andare piú piano, di non mangiarsi le parole. *Te me pari un leorèto*, le diceva. Della giovane lepre, Ida Peruzzi aveva gli scarti improvvisi, le accelerazioni, le frenate dubitose. Fosse dipeso da lei, le commedie sarebbero durate mezz'ora. Sognava di vedersi offrire un giorno la parte della Locandiera. Pareva scritta per lei. Della Locandiera apprezzava l'integrità, l'ingegnosità laboriosa, lo spirito allegro, l'eleganza con cui teneva testa ai signori uomini.

Un capocomico che era venuto a vedere uno spettacolo della compagnia Ferrari le aveva fatto i complimenti e parlato di rappresentazioni fuori Verona, in giro per l'Italia. Per credere a quell'uomo, di cui l'avevano colpita i panciotti damascati da cui sporgevano le catene di orologi grassi come quaglie, Aida andava a compulsare i ritagli delle recensioni che il selvaggio malese le aveva dedicato. Lei vi era descritta coma «la bella Ida», «brava interprete, applauditissima, briosa e biricchina, commoventissima, artista di molto sentimento». Il recensore che firmava «Emilius» la rubrica *Sulle scene* era persino giunto a lodare le «apprezzate toilettes della signorina Peruzzi».

Poi l'uomo dei panciotti era sparito, e la signorina Peruzzi aveva deciso che con il malese poteva intendersi per via che avevano le stesse passioni.

- ... *Ho tanto oro da comperare dieci città, ho navi, ho soldati, ho cannoni, sono potente, piú potente di quello che voi possiate supporre.*
- *Dio mio, ma chi siete voi?*

Molte delle cose che raccontava erano con ogni probabilità pure invenzioni, ma innocue. Fandonie ne sparano tutti, a seconda della convenienza. Si passa la vita a fare la tara delle frottole altrui. Le persone si possono dividere in due categorie: quelli che raccontano fanfaronate e smargiassate, ma le sanno raccontare bene, e se ci credi è perché in quel momento ti va bene cosí; e quelli che le raccontano male, e allora non sono pericolosi perché te ne accorgi subito. È questione di bravura artistica, in fin dei conti. Ida voleva sentirsi raccontare storie che la portassero via di lí. Perché di brutti ricordi non ne aveva solo il selvaggio malese.

Il giorno in cui si era concessa al critico teatrale, nella stanzetta dove lui dormiva, già allora ingombra di carte, su un lettino cigolante che lo potevano sentire da piazza Bra, Ida aveva preteso che quella stessa notte lui scrivesse il racconto del momento supremo, del cedimento che aveva ottenebrato i loro sensi, della passione fatale che avrebbe cambiato le loro vite.

T'aspettavo! Tranquillo no: t'aspettavo coll'ansia febbrile dell'uomo che sta per toccare la felicità meta delle sue speranze e della sua vita, del martire che sta per toccare il paradiso; del leone che aspetta la preda! Ti avevo sognata mia, tutta mia, colle labbra posate sulle tue, col cuore mio posato sul tuo, colle braccia mie intrecciate alle tue in una inesprimibile ebbrezza dei sensi. E tu stavi per venire, e venire sola!... Ho come un ricordo confuso di ciò che è avvenuto fra noi dal primo istante in cui ebbro d'amore ti ho gettato le braccia al collo a quando tu mi hai dato il paradiso. Ma mi rammento che eravamo stretti assieme, ansanti, febbricitanti, scossi da fremiti che parevano sussulti, cogli occhi fissi ardentemente nei tuoi e le labbra mie inchiodate sulle tue e tu con le braccia tue avvinghiate intorno a me in un amplesso che aveva qualcosa di ferreo... Mi sembra ancora di sentirti tra le mie braccia, quando le mie dita cercavano avidamente le carni tue. Poi mi ricordo di averti trascinata là, lo sai dove e di averti veduta dinanzi a me, pallida come una morta nella tua bianca camicia, gli occhi semispenti, i capelli disciolti sul niveo tuo collo ma fremente d'amore, e di averti sentita fra le mie braccia dibatterti fra gli spasimi della febbre. Sí, non è un sogno, tu mi parlavi fra quegli spasimi, mi chiedevi amore, ancora amore.

Solo ciò che è scritto è vero. Di sicuro lei avrebbe ottenuto un posto di primo piano nei romanzi che Emilius scriveva senza posa né requie. Tutti l'avrebbero riconosciuta e apprezzata ancora di piú. Sarebbe diventata Marianna, la donna per la quale la tigre della Malesia era pronta a rinunciare ad essere la belva feroce assetata di sangue che «succia le cervella dei nemici uccisi»; o Fathma, la sensuale protagonista de *La Favorita del Mahdi*, il primo romanzo di Emilius pubblicato direttamente in volume, la danzatrice ammaliante, oggetto della folle passione dell'ufficiale egiziano Abd-el-Kerim. A dire il vero aveva un passato da bagassa, e il Mahdi la scarsa eleganza di rinfacciarglielo per magnificare la propria generosità.

Io ti trassi dal fango dove tu ti avvoltolavi, ti strappai dagli amplessi dei soldati, dagli amplessi della canaglia, dagli amplessi di vili schiavi per innalzarti fino a me.

Ida Peruzzi sperava che il suo uomo non arrivasse mai a rinfacciarle niente. Si sentiva anche un po' gelosa di questa Fathma «dal turgido seno», per la quale l'autore s'era evidentemente ispirato a qualche slandra da lui frequentata in precedenza. Ad onta di ciò le restava simpatica, perché era feroce e vendicativa, una donna che si batteva e amava la vita. Anche lei l'amava.

A farla capitolare era stata una brillante invenzione del suo recensore. Una sera, con il suo solito mazzo di viole nella mano sinistra (lo reggeva rigidamente, come un cespo di sedani), le aveva annunciato che da quel momento e per sempre lei sarebbe stata la sua Aida, la figlia del re degli Etiopi.

La celeste Aida, ripeté.

Il celeste era il colore preferito della signorina Peruzzi.

Nello stesso istante il capitano scoprí compiaciuto che il nome d'arte comprendeva anche quello di Ada.

Per questo pronunciare il nome di Aida gli dava ogni volta un piacere doppio, come a un sultano la rassegna delle femmine del suo harem.

Omar Salgari, di anni 10

Mio padre ripete spesso che la vita è nata dal mare e nel mare finirà. Lui la vita di mare ha dovuto abbandonarla per necessità famigliari, ma in compenso l'ha fatta abbracciare a tanti altri con i suoi libri, che sono un inno alla passione marinara. Dice che l'Italia il suo destino lo deve cercare sul mare. Se siamo venuti a stare alla Madonna del Pilone è anche perché qui l'acqua la può vedere tutte le mattine. Riceve molte lettere di ragazzi che vorrebbero fare i marinai, e anche di genitori preoccupati perché i loro figli si mettono delle strane idee in testa. Lui risponde che una vita spesa in mare è sempre una benedizione. Intende incitare i ragazzi all'azione, all'ardimento. Dice che, al contrario di quello che ritiene don Abbondio, uno il coraggio se lo può dare.

In casa nostra non ci si annoia mai perché quando andiamo lungo il fiume o in collina qui vicino è come se fossimo nelle jungle del Borneo. Con le sue parole, mio padre trasforma la vegetazione in piante esotiche e i comuni animali da cortile in bestie feroci. Vuole temprarci alla fatica, ai pericoli. Anche d'inverno non vuole che andiamo in giro troppo coperti come donnicciole. Gli piace scolpire pupazzi con la neve. È nemico di ogni poltronaggine. Da giovane è stato appassionatissimo di attività sportive. Anche adesso ci insegna la scherma, che egli ritiene la disciplina principe. Il bello è che tira di scherma anche con nostra madre, che certe volte è anche piú brava di lui, con tutto che non è un fuscello. Allora nostro padre ride e dice: *Eh, la parona la x'è piú in gamba della Jolanda*.

I momenti piú belli sono quando costruisce l'aerostato, perché ha una vera passione per i palloni aerostatici, proprio come il signor Verne. A Torino questa mania ce l'hanno tutti, il volo è il sogno del momento. Noi ci accontentiamo di far volare i nostri palloni di carta colorata. Quando deve prepararli, al papà gli passa la stanchezza. Di solito accade il 21 agosto che è il giorno del suo compleanno. Andiamo in corteo verso i prati di Sassi, dove c'è piú spazio e non c'è pericolo che i palloni finiscano subito contro i rami degli alberi. Montiamo il telaio, controlliamo le giunture, attacchiamo i fili e le cordicelle, prepariamo il piccolo braciere che deve scaldare l'aria che poi fa salire il pallone.

Non c'è emozione piú bella di vedere come il pallone si innalza, e prende il vento e sale e sale, mentre noi tutti battiamo la mani e papà salta anche lui come un bambino, e grida al pallone di andare, gli indica la strada dei monti ed esclama come un vero attore:

– Pallone, non stare a sofisticare che sei di carta e parti dalla Madonna del Pilone. Convinciti di essere un aerostato perfetto, attraversa l'Atlantico, porta i miei saluti allo zio Tom! – A casa nostra quando c'è da fare una commissione lontano, si dice: «Bisogna andare dallo zio Tom!» Il gioco che facciamo è calcolare a quanti metri è intanto arrivato il pallone, duecento, trecento, è già piú alto di Superga, ma cosa dici, non è nemmeno alto come la Mole.

Talvolta il pallone sbatte negli alberi o si affloscia o prende fuoco. Per il papà sono segnali di disgrazia, e se ne rattrista molto. Egli condivide le credenze dei feroci Thugs, per i quali i presagi sono di grande importanza. Quei temibili selvaggi studiano i presagi negli animali selvatici quali le civette e gli sciacalli, ma anche in quelli domestici, perfino negli asini. Anche il papà osserva attentamente i comportamenti degli animali di casa, in particolare quelli della scimmia Peperita, che non fa che combinare guai e la mamma le dice brutti nomi in veronese. Una volta è scappata nel bosco e abbiamo dovuto inseguirla per ore.

Casa nostra ospita un autentico zoo. Il piú vivace è il cane Niombo. Mio padre sostiene che capisce tutte le lingue, meno l'inglese. Quando siamo fuori casa e non torniamo, o nostro padre è fuori per qualche partita a carte con gli amici, nostra madre manda Niombo a cercarci e riportarci indietro. Basta dirgli: *dove i xè i putéi?* che quello parte come un razzo, ci trova, si attacca con i denti alle nostre braghette e ci trascina via. Abbiamo anche il gatto Tigrotto, la gallina Niní di cui è innamorato Niombo, la tartaruga Lampo che fa da cavalcatura allo scoiattolo Bibí, dono di un marinaio ammiratore di nostro padre; il pappagallo Zulú che chiama tutte le persone Sandokan, l'oca Madama Sempronia cosí battezzata perché assomiglia a una vicina e non va d'accordo con le galline e le anitre.

Tra le invenzioni piú pregiate di nostro padre c'è il Gattodromo. Poiché in casa ci sono diciassette gatti, egli organizza delle corse cui partecipano i felini che trainano altrettanti carrettini verdi fatti costruire appositamente da un falegname amico. La chiama «la corsa delle bighe romane». Lo spettacolo è assai gradito dal vicinato.

Nostro padre è capace di stare a guardare affascinato le imprese della scimmia Peperita per delle intere mezze ore. Tuttavia non pensa che l'uomo sia derivato dalla scimmia. Pensa al contrario che alcuni uomini siano degenerati in scimmie.

Dai quaderni di Angiolina

21 *settembre* 1909

– Ma Sandokan, chi è per davvero?
Mi ha guardato sorpreso. Ho cercato di spiegare:
– Voglio dire: quando uno scrittore inventa un personaggio
ha sotto gli occhi un modello? Si ispira a qualcuno?
È diventato beffardo: – Anche tu vuoi sapere se sono
io? Se è un autoritratto?
– A me può dirlo. Lo sa che sono riservata.
– So che sei una curiosa. Ma Sandokan è Garibaldi,
cribbio! Lo capisce anche un bambino. Marianna è Ani-
ta. Yanez è Bixio. I tigrotti sono i Mille. Non sono solo
coraggiosi: sono fedeli, disinteressati, pronti a dare la vita senza chiedere niente perché adorano il loro capo. Garibaldi è l'ardimento, la fantasia, mille contro ventimila
e vince lui, spunta sempre dove non te lo aspetti perché
pensa piú in fretta e meglio dei suoi nemici. Perché il coraggio non basta, ci vuole testa, astuzia. Bisogna saper
parlare agli uomini. Garibaldi è generoso, come Sandokan
che delle ricchezze se ne impipa: regala mezza Italia al Re
senza chiedere niente, se ne va a Caprera, proprio come
a Sandokan gli basta Mompracem. Garibaldi ha ingrassato il Re, ma non vuole compensi. Non è un mercante,
non fa calcoli. Io ho ingrassato gli editori e non ho avuto
niente. Forse non sono capace di chiedere. Sono un com-
merciante del casso! Come mio padre! Mica come il signor Verne, che è diventato cosí ricco da comperarsi uno
yacht, *sacranón*! – E ride amaro.
È stata una sera di nebbia fitta. La voce rauca del ca-

pitano sembrava uscire dal fiume, che manda un odore
acuto di erba marcia.

– Ma Sandokan sono i lettori, quello che i lettori vorrebbero essere: temerari, invincibili, che non li fermano
le pallottole, né un coltello piantato in mezzo al petto.
Poi Sandokan sono io. Abbiamo perfino le prime due lettere in comune, testolina, non vedi? Da giovane ero Sandokan, cioè Achille l'impetuoso, perché niente mi faceva
paura e volevo mangiare il mondo a morsi, rabbioso come
un cane famelico. Poi mi è piaciuto di piú prendere i pan-
ni di Yanez, cioè Odisseo il fraudolento, che usa l'astuzia
perché si impara presto che la forza da sola non basta, c'è
sempre qualcuno piú forte di te e anche Achille muore, e
invece Odisseo torna a casa e muore nel suo letto. Uno
che se la scampa raccontando storie. La sua forza è quella. Tu sei le storie che racconti. Perché gli uomini hanno
bisogno di storie inventate piú che dell'aria che respira-
no? Non lo so. Non ho studiato. Non sono come te. Ma
anche quelli che hanno studiato non ne sanno di piú. Che
cosa vuoi che sappiano i professori? Quello che so io è
che sono sempre andato all'arrembaggio senza nessun tigrotto che mi venisse dietro. Un mio insegnante mi aveva
fatto entrare alla «Nuova Arena» come praticante e già
mi chiamavano Salgarello, per via della statura. Dicevano Salgarello come si dice Pulcinella. Eppure ero bravo a
nuoto, tiravo di scherma come un dio, in velocipede non
mi batteva nessuno.

– Era anche campione di boxe?

– No, la boxe no, è brutale, la lascio agli americani,
che vanno sempre per le spicce e le regole della cavalleria non sanno cosa siano. Io invece sono diventato anche
presidente della Società Velocipedistica e della Società di
ginnastica e scherma Bentegodi, organizzavo gare e radu-
ni. Anche lí, quando vincevo si stupivano, ridevano. Re-
stavo il cronista che gli fanno fare i lavori piú umili, cara
grazia che non mi abbiano chiesto di pulirgli i cessi. «La

Nuova Arena» stava per fallire, quando mi hanno preso il
romanzo *Tay-See* da pubblicare in appendice, che poi come libro gli ho cambiato titolo ed è diventato *La rosa del
Dong-Giang* e tutti correvano a leggerlo perché era roba
forte che a Verona non hanno mai visto. Ventotto puntate. Un successone. Si strappavano di mano il giornale...
Si è fermato e mi ha guardato perplesso:
– Ma ti interessano 'ste vecchie fanfaluche?
L'ho pregato di andare avanti.
– Allora, è una storia ambientata nella Cocincina nel
1861, ai tempi dell'invasione dei franco-spagnoli che avevano delle mire in Oriente. C'è una bellissima fanciulla
del Dong-Giang che è sposata contro il suo volere a un
generale del luogo e si innamora di un nemico, un ufficiale spagnolo. Lo sai che tratto soltanto amori impossibili.
Gli amanti vengono condannati a morte per adulterio, e
il supplizio è tremendo. Un elefante lancia per aria i condannati con la proboscide, poi li infilza con le zanne e alla
fine li schiaccia sotto le zampe. Fece rumore anche il fatto
che criticavo le missioni proprio a Verona, che è un po' la
capitale dei missionari, la sede dei padri comboniani che
catechizzano l'Africa. Ebbene, ho fatto dire a un generale cocincinese che nessuno aveva chiamato nelle loro terre
quelle tonache nere a raccontare le loro frottole, che, tra
l'altro, portavano anche sfortuna.
– Ma si guadagna bene a scrivere romanzi d'appendice?
– Oeuh, *sacranón*! 'Na roba! Mi hanno compensato
con una torta del pasticciere perché soldi non ce n'erano, prima bisognava pagare i debitori, diceva Giannelli il
direttore. A me andava bene anche cosí, non mi fermava
nessuno. Volevo farmi un nome. Allora ho scritto *La tigre
della Malesia*. Il giornale l'ha propagandato con una trovata pubblicitaria grandiosa: un manifesto che annunciava
l'arrivo in città della feroce tigre, il terribile animale che
si pasce di carne umana. E spiegava che era la storia di un
pirata, la cui memoria dura nei mari della Malesia e incute

ancora spavento: un pirata della piú terribile specie, che beveva sangue umano, e insanguinò per piú di dieci anni le coste della sua Mompracem, di Labuan e di Borneo, e s'era innamorato della nipote di un suo nemico. Godo ancora quando penso ai manifesti. Centocinquanta puntate, da ottobre dell'83! E non me ne fregava un casso che un giornale satirico mi chiamasse «la Tigre della Magnesia». Ridessero pure, quei mona.

Guardavo il volto del capitano, cereo sotto il berretto, segnato dalle grosse virgole dei baffi. Provavo a rivestirlo della divisa del pirata, stivali di pelle rossa, casacca di velluto a frange, calzoni di seta azzurra, carabina arabescata, scimitarra dall'impugnatura in oro. Non riuscivo a immaginare che sotto quel berretto liso ci fossero la rabbia, il furore, l'urlo disumano di Sandokan ferito al petto che prima di lanciarsi in acqua ha ancora la forza di gridare: ammazza! ammazza!

Quanto odio può secernere un uomo? L'odio si riforma da solo, come la coda alle lucertole? Invecchiando diventa piú cattivo o si spegne lentamente? E scrivendo, faceva uscire l'odio da sé o si avvelenava ancora di piú?

«Vi sono delle tenebre attorno a me che è meglio non squarciare, per ora. Sappiate che dietro a queste tenebre vi è del terribile, del tremendo», aveva detto Sandokan a Marianna.

L'altro giorno mi ha aggredito:
– Ti interessa tanto sapere di me? Come son fatto? E allora leggi, non è difficile, in quello che sta scritto c'è quello che uno è, quello che ha fatto e persino quello che farà. L'ultima pugna della Tigre. È nascosta per bene, ma c'è. Prova a trovarla, se ci riesci. Chi guadagna berlicca il pan di Spagna.

Gli ho preso una mano:
– Capitano, non mi fraintenda. Io cerco solo di capire.
Mi sono ripromessa di leggere sistematicamente i suoi

libri per cercare le tracce di quel che lui è per davvero, sotto i travestimenti che tanto gli piacciono.

Un capitolo dei *Misteri della jungla nera* si intitola *Uccidere per essere felice*. Gli ho chiesto se è proprio cosí, se uccidere dà la felicità.

Ha fatto il gesto di scacciare una mosca:

– Santa polenta! Quel titolo vuol dire che Tremal-Naik, diventato prigioniero dei Thugs, per riavere la sua Ada è costretto a travestirsi, diventare un altro. In cambio della sua felicità i Thugs gli chiedono di uccidere il loro nemico, il capitano Macpherson. Ma io non arretro davanti alla tua domanda. Non sono uno che scappa. Sí, uccidere dà piacere. Non solo ai Thugs. Dalla notte dei tempi non c'è cosa che dà piú piacere a un uomo del poter disporre della vita di un altro, di poterla spegnere o conservare come gli aggrada. È l'istinto perverso che hanno solo gli uomini. È qualcosa che ti fa sentire un dio. Per questo il sangue non basta mai. Ma il sangue chiama altro sangue.

È seguito un lungo silenzio. Poi ha ripreso:

– Cèrcati un nemico. Si vive meglio, con un nemico. Un nemico ti tiene in vita, ti dà uno scopo. Ti fa sentire vivo. Odiare fa bene. L'odio serve a buttare fuori il nero che ti porti appresso. Sai perché agli uomini piace tanto fare l'amore?

Ho fatto di no con la testa.

– Perché è un assassinio, una cosa brutale. Ci potessimo vedere mentre facciamo l'amore non sapremmo riconoscerci, tanto siamo stravolti. Ma noi siamo quelli lí, i lineamenti deformati di Sandokan che si lancia sulla tigre con gli occhi fuori della testa. Non la faccia da gianduja di quando andiamo a spasseggio con bastone e bombetta a mangiare paste e sorbire il *bicerín*, scappellandoci ogni due minuti, facendo salamelecchi, e tanti bei *bondí cerea*.

Mi guarda di sottecchi per vedere che effetto mi fanno le sue parole.

– Lo so, – dico. – Lo so.

Lui il nemico ce l'ha dentro. Solo che non ha ancora deciso il momento dell'attacco finale.

L'unico metro di paragone che ho è mio padre. Mi chiedo se dietro la sua mitezza di produttore di vermouth e sciroppi che parla poco e legge i manuali Hoepli si nasconde la stessa violenza. Forse voleva fare l'esploratore anche lui, o l'aviatore, il conducente di palloni aerostatici. Forse tra le sue bottiglie e i suoi alambicchi si sente in prigione, ma non dice niente per stoicismo, perché i soldati piemontesi tengono la posizione anche se sanno che li ammazzeranno.

Ieri ho fatto sobbalzare il capitano. Gli ho detto che avevo scoperto i suoi segreti di bottega. – Ah sí? – ha detto. – Sentiamo un po' –. Gli ho spiegato che era un manzoniano tal quale. Basta vedere l'attacco del primo libro per ragazzi che ha scritto, *La scimitarra di Budda*:

La grande fiumana Si-Kiang, che per duecento leghe solca le province meridionali del gigantesco impero chinese, dividendosi presso la foce in numerosi canali e canaletti, forma un'infinità di isole, alcune delle quali lussureggianti di vegetazione, ricche di cittadelle e di villaggi popolosi, ed altre affatto sterili, pantanose, deserte.

Ridacchia soddisfatto. Oh basta là, dice, facendomi il verso. E cos'altro hai scoperto, madamina Derossi? Gli ho detto che c'è un mucchio di Ariosto nei suoi libri, proprio tanto. Per esempio Sandokan e Tremal-Naik sono come i ferocissimi cavalieri che per amore trascurano i doveri del loro ufficio e invece di combattere i saraceni si gettano in avventure dissennate, senza cognizione. Come loro, preferiscono la morte all'idea di vivere senza le loro belle: «Ah, piú tosto oggi manchino i di' miei, | ch'io viva piú, s'amar non debbo lei».

L'Ippogrifo, che per velocità eguaglia il tuono e la saet-

ta, è l'equivalente della moderne macchine volanti. Il fo-
coso Baiardo che si mette a far feste ad Angelica come un
cagnolino sembra la fedele tigre Darma che accompagna
Tremal-Naik nelle sue avventure: «Indi va mansueto al-
la donzella | con umile sembiante e gesto umano | come
intorno al padrone il can saltella | che sia due giorni o tre
stato lontano».

– Senti senti! – commenta soddisfatto. – Proprio non
ci avevo pensato.

Non è finita, gli dico. L'isola dove l'Ippogrifo atterra
è incantata come l'Oriente dei suoi libri. Gli cito: «Vaghi
boschetti di soavi allori | di palme e d'amenissime mortel-
le, | cedri ed aranci ch'avean frutti e fiori | contesti in va-
rie forme e tutte belle...» Devo andare avanti?, chiedo.
Fa segno di sí con la testa, come un bambino davanti alle
caramelle: «... Tra le purpuree rose e i bianchi gigli, | che
tepida aura freschi ognora serba, | sicuri si vedean lepri
e conigli | e cervi con la fronte alta e superba... Saltano
i daini e i capri snelli e destri, | che sono in copia in quei
luoghi campestri».

Ridiamo come due scolari.

– Mi sento smascherato! – sbotta il capitano. Alza il
bastone a mimare il solito gioco di scherma: – Ah, mi hai
infilzato! Brava. Proprio un peccato che tu non abbia
continuato a studiare. Ma se guardi bene, tutte le storie
sono già contenute in *Pinocchio*. Lí c'è proprio tutto. C'è
un po' di Pinocchio in ognuno di noi, continuiamo a fare
gli stessi errori senza imparare niente. Solo il finale è ap-
piccicato. Pinocchio sarebbe dovuto restare un burattino,
perché tanto i bambini veri non sono diversi da lui. Gli
adulti nemmeno.

Al momento di congedarsi ha detto piano, con un lampo di malizia: «Quel che l'uom vede, Amor gli fa invisibi-
le, | e l'invisibil fa vedere Amore».

Duelli

Il suo arrembaggio, i suoi furori ariosteschi il capitano li aveva avuti. Aveva schiaffeggiato e sfidato a duello quel giornalista dell'«Adige», lo spilungone sciancato, invidioso e tristo come la fame, quel cuco bacúco, buffone e mentitore, il Biasioli, che in un articolo aveva fatto ironie sul suo brevetto di capitano di gran cabotaggio. Aveva detto e scritto che al massimo aveva fatto il mozzo, preso calci in culo dagli altri marinai e dal capitano. Lui l'aveva incontrato in un caffè e pubblicamente schiaffeggiato. In un prato di periferia, alla presenza di quattro padrini, s'era lanciato sul Biasioli con una tal furia che avrebbe atterrato l'intero esercito italiano, lui che teneva per maestro il grande Agesilao Greco, lo schermidore supremo! Con il suo colpo preferito, il mulinello di testa, l'aveva ferito al primo assalto, al naso e a una tempia. Voleva finirlo, avevano dovuto trattenerlo in quattro. La bava alla bocca, gridava: *lassèlo a mi, lo copo, lo copo!* Era contro le regole cavalleresche? Lui lo voleva finire, con le regole ci si puliva il culo.

Aveva affrontato con fierezza i sei giorni di carcere a Peschiera che gli avevano inflitto, piú trenta lire di multa. Bramava altri Biasioli, altri assalti, altro sangue che non fosse quello delle ferite da poco inferte all'ignobile imbrattacarte che l'aveva offeso. Invece l'avevano messo a scrivere note di politica estera che ricavava dai dispacci dell'agenzia Stefani e dai giornali stranieri. Firmava «Ammiragliador», alla spagnola. Era contento dello pseudonimo. Aveva un'intera collezione di pseudonimi, ogni giorno

ne inventava di nuovi. L'essere uno e molti gli dava una
segreta euforia.

Ammiragliador scriveva del Sudan, della Cocincina, degli inglesi e dei francesi che cercano di intralciare le legit-
time aspirazioni coloniali degli italiani. Tutte le potenze
europee si buttano sulla torta africana come lupi affamati
e l'Italia deve restare indietro? Che cosa aspettava l'ono-
revole Mancini a sbarcare a Tripoli, a liberarla dai turchi
oppressori? La Francia ci sputava in faccia, s'era appena
accaparrata la Tunisia. Il Mediterraneo dovrebbe essere
un lago italiano e invece finisce per essere di tutti tranne
che dell'Italia.

Raccontare gli avvenimenti del Sudan gli dava soddisfazione, come giocare una partita a scacchi. C'era questo
Ahmed Mohamed, il Mahdi, che si era proclamato profeta
e inviato di Dio per sterminare gli infedeli e rialzare le sor-
ti dell'Islam. Aveva sollevato le tribú del Sudan che odia-
vano l'oppressore egizio, e sbaragliato le spedizioni man-
date contro di lui. Ogni giorno ingrossava le file del suo
esercito. Avrebbe preso Khartoum, sarebbe arrivato fino
alla Mecca, al Cairo. Gli inglesi, i veri padroni dell'Egitto,
tremavano, non sapevano che fare. L'intera Europa guardava sbigottita ai fatti del Sudan. I nuovi mori sarebbero tornati sotto le mura di Vienna? Finalmente gli inglesi
s'erano decisi a inviare il famoso generale Gordon, uno che
era convinto di poter fermare l'orda sanguinaria con una
sola occhiata. Partí, il generale, «con la Bibbia in mano,
i logaritmi nell'altra e un revolver nella cintura». Nell'inverno 1884 era riuscito ad arrivare sino a Khartoum, ma
che ne era stato di lui? Era caduto prigioniero? L'avevano ucciso? Le linee telegrafiche erano interrotte, dall'inferno arrivavano le voci piú disparate, tutte spaventevoli.

Ammiragliador descriveva le battaglie come se le osser-
vasse dall'alto di una collina. Conosceva i ripiegamenti e gli
agguati, le marce forzate e gli assalti, il numero dei caduti

e dei superstiti, la consistenza degli assediati, il mosaico delle etnie in lotta fra loro; ammoniva che «l'arabo è facile a entusiasmarsi e diventare fanatico e a combattere ferocemente». Non risparmiava ironie: «Gli inglesi hanno fatto un fiasco colossale e, diciamolo pure, anche vergognoso». Azzardava previsioni che puntualmente si avveravano. Gli sembrava di trattare da pari a pari con i potenti della terra cui elargiva rimbrotti e consigli. Il mondo diventava una carta geografica su cui disegnare movimenti di truppe, piantare bandierine colorate, studiare nuove mosse.

Aveva vent'anni e si sentiva addosso la sapienza strategica di Alessandro, di Cesare, di Napoleone.

In redazione gli volevano bene perché era sempre allegro e ciarliero, non si tirava indietro se c'era da lavorare, non si lamentava, non chiedeva niente. Gli piaceva stare nel branco e stupirlo con le sue esagerazioni. Dispensava canzoncine goliardiche, come una filastrocca in lode delle scorregge:

Ciceron per ore intere
Discorreva col sedere
Mentre invece Machiavelli
Ne mollava dei fardelli

Un allegro compagnone che organizzava burle. Travestito da frate questuante, si presentava a casa di possidenti cittadini noti per la loro avarizia. Era cosí persuasivo che tutti, impietositi dal racconto di tante miserie, lo congedavano con generose offerte per i suoi poveri. Agli amici mandava lettere firmate da famose attrici e cantanti d'opera che concedevano appuntamenti ai loro spasimanti. Quando quelli si presentavano tremanti nel luogo convenuto trovavano una congrega irridente che li sbeffeggiava.

Se girava per la città con il suo velocipede, per meglio stupire Ammiragliador cingeva il capo di un turbante su cui aveva infilato una piuma di fagiano. Durante una gara improvvisata, un concorrente l'aveva spinto e fatto cadere a testa avanti. S'era ferito profondamente al volto, ma presto era tornato in sella. I bendaggi gli davano un'aria ancora piú esotica. Anche durante una partita di scherma aveva rimediato un taglio a una spalla.

Era fiero delle ferite conquistate sul campo, sempre pronto a battersi, ricominciare.

Nella primavera 1885 l'avevano chiamato all'«Arena» offrendogli uno stipendio regolare. Il direttore Aymo aveva un anno piú di lui, piemontese di Mondoví, con l'avventura e la ribellione nel sangue. Per sottrarsi alle grinfie della famiglia che lo voleva prete era finito in Messico, dove aveva fondato giornali che sfidavano a muso duro il governo sulla questione degli immigrati italiani attirati con falsi allettamenti.

Dove c'era da dar battaglia, Aymo era pronto. Al suo redattore piaceva perché era un uomo di penna e di sciabola, che si esaltava nei duelli. Monarchico accanito, amava anche lui il teatro e il velocipede, era un vulcano di energie. Il redattore però i suoi romanzi d'appendice li pubblicava altrove, a Livorno, a Vicenza, a Treviso. Voleva farsi conoscere in giro. Il direttore lasciava fare. E un giorno scoprí che Salgarello pubblicava nientemeno che con il principe degli editori, il Treves di Milano.

Mi considero molto fortunata perché mio padre non è soltanto buono, affettuoso e generoso come tutti i padri. Egli ci fa anche divertire. Con lui non ci si annoia mai, perché organizza gite istruttive, giochi, burle, recite e ci insegna tantissime cose, perché ha letto tutti i libri del mondo. Ma desidero soffermarmi su un aspetto del suo carattere che me lo rende ancora piú vicino. Egli è un grande appassionato di musica e dell'opera in specie. La definisce spettacolo completo, perché è in grado di appagare tutti i sensi. L'occhio anzitutto: i fondali cosí suggestivi, fatti per colpire l'immaginazione degli spettatori; i costumi, le comparse che affollano la scena, gli effetti delle luci. C'è la musica, che è il dono che Dio ha fatto all'uomo; ci sono le parole cioè la poesia e l'espressione dei sentimenti piú profondi, ci sono le passioni, le azioni piú svariate. Padri e figli che si ritrovano, amori che finiscono male al contrario che nei libri ma sono cantati cosí bene che poi si torna a casa contenti, avvolti dalle belle melodie, dalle parole commoventi. Senza il signor Verdi, il signor Rossini e il signor Puccini e gli altri grandi musicisti che onorano l'Italia la nostra vita sarebbe assai piú triste.

Mio padre mi ha trasmesso le sue passioni musicali e appena ne ha l'occasione loda quelle che definisce le mie «virtú canore». Nei suoi libri parla spesso degli incantamenti di una voce «argentina e melodiosa», per esempio quella di Marianna che strega il pirata convalescente. Anche quando la voce di lei, «dopo aver vibrato un'ultima volta, muore con l'ultima nota della mandola», il feroce pirata se ne resta col cuore sospeso e gli orecchi tesi come se ascoltasse ancora. Quando finisco di cantare, il papà ama ripetere che anch'egli se ne resta lí con il cuore sospeso e gli orecchi tesi.

Papà dice che i soldi per l'opera sono ben spesi.

La prima volta che mi ha condotto a vedere l'opera ho capito perché egli la ama tanto. Mi sembrava di ritrovarmi in uno dei suoi pregiati romanzi. C'era una grande caverna da cui entravano ed uscivano personaggi abbigliati in modo pittoresco. Sono sempre stata abituata a vedere costumi e travestimenti per casa. Quando ero bambina, per farci divertire il papà usciva in giardino con addosso delle lunghe zimarre e palandrane colorate, il capo avvolto in turbanti, mulinando le lance della sua collezione che fa tanto penare la mamma perché non riesce a spolverare, da quanti oggetti sono ammucchiati nella stanza.

La cosa che piú sarebbe piaciuta al papà è proprio fare il cantante, ma pare non abbia la corporatura adatta. Non è abbastanza grande, mentre i cantanti sono degli omoni sopra il quintale e anche se sono grossi e goffi come ippopotami e si muovono con difficoltà, recitano parti amorose e le eroine li amano lo stesso e muoiono per loro. Anche le cantanti sono grasse ed è buffo quando gli innamorati devono abbracciarsi, perché non ci riescono facilmente, e allora preferiscono tenersi per mano. Il papà dice che deve essere una gran soddisfazione stare sul palcoscenico a ricevere le ovazioni e il lancio dei fiori, che poi uno si porta al petto commosso e annusa facendo una faccia rapita.

Lui ha dato tanto di sé eppure non riceve omaggi floreali. Soltanto una volta un bambino rosso di capelli che di nome faceva Berto, che era venuto in visita da noi con le scuole, gli ha offerto una ranocchia che teneva sotto il berretto. Il papà se ne è commosso, ha carezzato il bambino rossiccio e lodato il suo amore per la natura e per i libri. Ha osservato per bene «il batrace», cosí lo ha chiamato facendo ridere i bambini e anche il maestro, gli ha attribuito il suo vero nome scientifico, e ha parlato di alcune specie di rospi giganti che vivono nella foresta amazzonica, da lui stesso osservati durante uno dei suoi viaggi, e che sono pericolose per via che sono capaci di gettare dei lunghi sputi che possono anche accecare. I bambini hanno riso di nuovo, e uno di loro ha detto: ma allora anche Olindo è un rospo dell'Amazzonia! Sputa sempre perfino in classe! Rospo! Rospone!

Di solito i bambini che vengono in visita stanno lí compunti e rispettosi, e hanno difficoltà a fare domande anche se pungolati dai maestri che vogliono far vedere quanto in realtà sono bravi e anche birichini, ma quella volta il batrace li ha liberati dalla buona educazione che i maestri non si stancano di predicare. Poi tutti insieme hanno riportato la ranocchia nel canale Michelotti che scorre qui davanti e il papà ha assicurato al bambino che tutti i giorni sarebbe andato a trovarla. Le hanno anche dato un nome, l'hanno chiamata Smeraldina. Pure a me piacerebbe chiamarmi Smeraldina, anche se Fathima mi piace moltissimo, è un nome che non ha nessuno e «profuma di Oriente misterioso» (parole sue). Le mie compagne di scuola ne sono un poco invidiose. Anche la signora Landi dice che Fathima è un nome che conviene ad un'artista. Fathima è un'affascinante danzatrice amata dal Mahdi, un profeta guerriero dell'Egitto di cui mio padre ha raccontato la storia.

Il papà lavora troppo e siamo preoccupati per la sua salute. Ci sono stati anni che era piú sereno malgrado il gran lavorare che ha sempre fatto, organizzava gite e scampagnate in collina e lungo il fiume, col cestino delle merende dove la mamma metteva le uova sode, pescetti marinati, frittate, torte di mele, vari tipi di insalata come sarsèt e denti-di-cane, e le belle ricottine che fanno nelle cascine lungo il fiume.

Al papà piace ricordare i cibi che ha mangiato nei suoi viaggi. Parla degli strani gusti dei malesi, che non disdegnano i serpenti, le bestie in putrefazione, i vermi in salsa, le larve delle termiti, il *blaciang*, miscuglio di gamberetti e piccoli pesci pestati insieme e lasciati a fermentare al sole e poi salati. Ho detto al papà che facevano qualcosa di simile anche gli antichi romani e lo chiamavamo *garum*. Lui ha lodato la mia preparazione.

La mamma gli dice di non raccontare queste storie che poi i miei fratelli non mangiano piú i pescetti marinati. Difatti a sentir raccontare di vermi in salsa i miei fratelli scappano e di lontano gli chiedono se gli sono piaciute le larve di termiti. Condite con il miele sono una prelibatezza!, risponde il papà, e grida: «bambini, andate a cercare un babirussa che poi lo facciamo arrosto! E anche delle foglie di banano da usare come piatti!» I miei fratelli tornano con delle foglie di platano chiedendo se possono andar bene lo stesso.

Anche se nelle sue storie ci sono sempre degli eroi che combattono per la libertà a costo della vita, io temo che lui non si senta libero. Ha troppa fantasia per non desiderare di vivere vite piú emozionanti.

Questo me lo rende ancora piú caro.

Dedicato alla Regina

Ad ogni libro pubblicato, il capitano prendeva la prima copia e con la sua migliore grafia la dedicava alla Regina Margherita professando devozione, ammirazione e gratitudine per l'alto patronato che la sovrana accordava alle arti, alle lettere e alle scienze, e che il paese tanto apprezzava. Ad ogni titolo variava le dediche, di cui teneva un piccolo registro. Ogni dedica occupava almeno cinque righe, traboccanti di riconoscenza per la Patrona d'Italia.

Il capitano non omaggiava soltanto la buona Regina. Inviava copie ai principi della casa regnante, ai duchi d'Aosta, di Bergamo e Genova in testa a tutti; ma anche ai sovrani di Spagna e Inghilterra, anche al Kaiser. Si sentiva in dimestichezza con re, principi e imperatori, credeva di conoscere il loro linguaggio, i loro comportamenti, le grandezze e le debolezze. In fondo anche loro avevano molto da imparare dal nobile comportamento di un uomo come il Corsaro Nero.

Dagli omaggi ricavava lettere di apprezzamento, di plauso, di incoraggiamento a perseguire nelle benemerite intraprese letterarie. Così in data 25 gennaio 1896 s'era espresso il marchese Ferdinando Guiccioli, Cavaliere d'Onore di Sua Maestà:

L'Augusta Sovrana, che dagli alti sensi della Signoria Vostra rassegnatile per il passato ha avuto pregevolissimo documento di quanto Ella sia abile nella non facile arte di istruire dilettando, vuole ch'io Le esprima le sue sincere felicitazioni

per l'ammirevole di lei operosità e l'assicuri ad un tempo che
con tutto piacere prenderà cognizione dei graditissimi libri.

Un anno dopo – s'era trasferito fuori Torino, a Cuorgnè – bussò alla porta una guardia in grande uniforme da
ciambellano, cosí l'aveva poi descritta Aida. Cercava il signor Salgari Emilio del fu Luigi e Luigia Gradara. Era suo
compito consegnare la croce di cavaliere, conferita per no-
mina del ministro della Real Casa.

Aida non ebbe cuore di farlo entrare: la casa era ina-
datta ad accogliere un cotale rappresentante dell'Autorità.
Finse di essere la governante, disse che il signor Salgari era
fuori per affari, accolse il plico con reverenza, accennò una
mezza genuflessione. Dalla cucina, Emilio chiedeva ansiosamente chi era, cosa volevano a quell'ora.

Pianse a lungo sulla spalla di Aida. Pensava a quelli di
Verona, al direttore Giannelli e al direttore Aymo, al Biasioli, agli amici della Società Velocipedistica, al conte Ca-
vazzocca Mazzanti che l'aveva onorato della sua amicizia,
ai colleghi scrittori. Chissà quanti di loro avevano ottenuto
l'ambito riconoscimento. Lo davano mica a cani e porci? A
parte Carducci, che tutti sapevano dei suoi intrallazzi con
la sovrana. Avrebbe dovuto fare un piccolo accertamento
riservato. Il dubbio gli guastò un po' la gioia. Sperava che
la Regina Margherita non avesse largheggiato troppo con
le onorificenze.

– Ma ti rendi conto, sei nel panteòn dei Grandi Italiani, – gli gridò commossa Aida. Era sempre stata sicura
che quel giorno sarebbe arrivato. – *I te farà un monumento,*
pensa che belo, i ghe darà el to nome a le scole.

Mandò una vicina a comperare una bottiglia di moscato.

Emilio pianse anche la notte, mentre facevano l'amore.
Il misto di commozione ed esultanza dava un piacere mai
sperimentato ai dolci movimenti con cui affondava senza
fretta nella vergine della pagoda. Nelle lacrime che bagna-
vano la camicia di Aida – era quella del corredo nuziale –

scioglieva la fatica, le umiliazioni. Erano quasi vent'anni che lavorava come un facchino.

– *Sa feto? Te piansi? Sito mía contento?* – chiese Aida perplessa.

Lui fece di sí con la testa. Non provava nemmeno a spiegare il senso di pacificazione, di consonanza con la grande fabbrica del creato.

Era bella, la croce dorata inscritta in un cerchio d'argento, appesa al nastro tricolore. Per la foto ufficiale, posò in farfallino e paglietta in testa. Era tanta l'emozione che dovette far forza su se stesso per assumere un atteggiamento di dignitoso distacco, quale si conviene a un cavaliere. Dopo tutto gli avevano dato semplicemente quello che gli spettava.

Per qualche notte appuntò la croce sul pigiama, poi la ripose in una scatola insieme ai pochi gioielli di Aida, in fondo al primo cassetto del comò.

Festeggiarono con amici e parenti alla Corona Grossa. Il menú prevedeva, con il buon vino di Valperga, Zuppa primaverile, Noce di bue con contorno di finanziera, Novellini di riso in salsa suprema, Asparagi alla parmigiana, Torta di frutta detta Bauleauroi alla Condé, Dessert e Caffè.

Fu chiesto al cavaliere quale tipo di cucina preferisse. Non disdegnava la gagliarda *bagna caoda*, ma era disturbato dal tremendo fortore dell'aglio. Ricordò con nostalgia gli gnocchi alla veronese con *pastissàda* di cavallo, il lesso misto con la *pearà*. Tutti concordarono che tuttavia nulla eguaglia i piaceri semplici degli spaghetti e dei maccheroni al pomodoro. Si parlò di piatti esotici, lui evocò una memorabile cena malese a base di tucani, ostriche giganti di Singapore, germogli di bambú, nidi di rondini salangane e montagne di *duriòn*. Qualcuno citò un pranzo cinese di Yanez a base di gamberetti di Sarawak, cane giovane arrosto, gatto in stufato e topi fritti nel burro. Le signore gettarono gridolini d'esecrazione e orrore.

Un commensale che aveva viaggiato nelle Afriche ebbe parole d'apprezzamento per il cuscussú. Raccomandò anche il latte di cammella fermentato in una pelle di capra, secondo l'uso beduino, ma il festeggiato storse la bocca: sí, lo conosceva ma sapeva di muschio. Tra i caffè, fu lodato il moka che si prepara a Costantinopoli: una polvere finissima che si ottiene pestando i grani con una pietra.

Nelle settimane seguenti il capitano si sorprese a pensare alla Regina Margherita come a un'amante segreta. Si immaginava invitato a Palazzo con grandi riguardi – addirittura con un biglietto scritto. Pensava di trovarvi altri artisti e letterati, ma veniva introdotto con discrezione nelle segrete stanze del Quirinale rutilanti d'oro, stucchi e tappeti, e finalmente annunciato, addirittura ammesso alla cerimonia della svestizione di lei.

Mentre le dame di compagnia spazzolavano i serici capelli della sovrana e riponevano in lussuose scatole di velluto i dieci giri delle collane di perle che portava al collo, egli poteva ammirare le proporzioni armoniose del busto regale. Poi le dame, impassibili come sacerdotesse orientali, uscivano tirandosi dietro le pesanti porte con cautela. Liberata del carapace del busto e già avvolta in una vestaglia di seta color champagne, lei lo invitava con un gesto di nobile semplicità ad accostarsi all'alcova dove il lino aveva un biancore abbacinante. La Regina, come tutti asserivano concordemente, sapeva mettere a proprio agio gli ospiti, annullare le distanze sociali. Inebriandosi dei celestiali effluvi che emanavano dal corpo di lei – vi si potevano cogliere, dominanti, le note dell'acqua di Colonia –, il cavaliere prendeva a baciare lentamente e lungamente or l'una or l'altra mano. Lei vi aveva tolto ogni anello e le offriva in dolce abbandono.

Erano mani di una tale aristocratica finezza che non si poteva nemmeno immaginare. Lui leccava ad una ad una quelle dita affusolate, le introduceva in bocca, le succhiava delicatamente come gli ossicini degli *osèi*. Quel lavoro soavemente estenuante – poiché poteva ben dirsi tale, per l'intensità che vi metteva – gli dava le vertigini. Infine, sollevando gli occhi su di lei, poteva cogliere nei suoi il grato languore dell'appagamento.

Piú in là tuttavia il cavaliere non si sentiva di andare. Gli bastava quella intimità complice, quella tenerezza sensuale, quell'attesa fremente in cui la fantasia poteva immaginare paradisi che non si possono dare su questa terra. Se ne riteneva pago. Ogni gesto successivo avrebbe guastato la perfezione di un'intesa cosí perfetta.

Sapeva che la Regina avrebbe apprezzato.

... Vestita d'una semplice vestaglia bianca a ricami, che faceva risaltare doppiamente la sua bruna carnagione e i suoi occhi neri, con una rapida mossa prese Romero per mano traendolo sotto la lampada, mentre Manuelita, la sua fedele donna, una bellissima ragazza «tagala», dagli occhioni dolci e leggermente obliqui, s'affrettava a chiudere la porta.

C'era stato un momento, nel 1900, che il cavaliere aveva disperato di raddrizzare gli affari, incassare i crediti, riuscire a tirare il fiato. Dopo lunghi tormenti, aveva pensato di scrivere al Cavaliere d'Onore della Regina, quel marchese Ferdinando Guiccioli firmatario delle lettere che attestavano il compiacimento e i rallegramenti della sovrana.

La lettera l'aveva anzi scritta, pensata e limata per bene. Si permetteva di ricordare al marchese che aveva fondato in Italia la scuola di Verne e di Mayne Reid, emancipando il paese dal giogo di altre letterature. Quaranta volumi in dieci anni, una lotta formidabile, «cominciata in pieno oceano e continuata tenacemente in terra», senza aiuti e senza tregua. Tuttavia a trentotto anni, dopo tanti sacrifici e mole di lavoro, il Verne italiano doveva dichiararsi vinto e confessare le sue terribili condizioni finanziarie: con una moglie malaticcia, quattro figli, guadagni di 120 lire al mese, una beffa che non gli consentiva di vivere del suo decoro di cavaliere, malgrado i sacrifici. Eppure i suoi volumi correvano trionfanti per il mondo, a totale vantaggio dei suoi editori. Chiedeva un aiuto. Per uscire dalle sue ambasce, pur con il cuore pieno di amarezza si era risoluto a chiedere consiglio al signor marchese. Viveva fuori del mondo, «molto noto di nome ma quasi ignorato da tutti», non osava ricorrere a chi aveva già voluto ricompensare le sue fatiche con una croce che teneva altamente cara. Poteva egli intercedere presso S.M. o era meglio che indirizzasse direttamente la supplica alla sovrana?

Aveva già imbustato la lettera, quando fu frenato da un sussulto d'orgoglio. Poteva abbassarsi a rivelare proprio a Lei le misere condizioni in cui si ritrovava, ridursi da cavaliere a questuante, fare strame della propria dignità di scrittore amato da centinaia di migliaia di giovani italiani? La pietà dei ricchi può riuscire piú urticante della loro indifferenza. Si sentí avvampare. No, non poteva scriverle. Avrebbe continuato a battersi, a lottare, senza chiedere nulla. Seguitò a mandare i nuovi libri a Palazzo Reale, con dediche sempre piú ornate.

In onore dei Reali, nel 1905 aveva chiamato Jolanda la figlia del Corsaro Nero, protagonista d'un nuovo romanzo del ciclo caraibico. Regina era adesso Elena di Montenegro, non meno bella, virtuosa e benefica dell'altra. Il cavaliere le aveva già scritto parole di solidarietà e conforto in occasione dell'esecrabile assassinio di Re Umberto a Monza per mano di un fanatico. Adesso aveva elaborato per lei una dedica magistrale per eloquenza e sentimento che, se possibile, riassumeva e potenziava tutte quelle precedenti.

La Regina, commossa, mandò in regalo a Fathima una bambola meravigliosa, alta quanto lei. Aveva lunghi capelli biondi e gli occhi blu, portava al polso un braccialetto d'oro con su inciso lo stemma sabaudo. Stava avvolta in mille strati di cartavelina dentro una scatola dorata coi nastri anch'essi blu, cosí grande che non passava dalla porta. Sembrava una cassa da morto tanto era lunga, disse Aida.

Fathima ebbe un mancamento. Il cavaliere si sentí nuovamente sopraffare dalle lacrime. Aida si mise a saltellare come una bambina, lei cosí pesante, batté le mani, gridò e tornò a ridere come anni prima, ai tempi della croce e del dolce Bauleauroi. Uscí di corsa a dare notizie ai vicini.

Nei giorni seguenti vennero in processione, anche di lontano, da Torino, da San Mauro, da Reaglie e perfino da Chieri, a toccare la bambola che Fathima teneva stretta a sé.

Erano cosí tanti, il campanello trillava cosí spesso, che il cavaliere ebbe uno scatto di nervi e proibí le visite.

Allora Fathima, sempre tenendo stretta la bambola regale, si trasferí in giardino, a raccogliere benevolmente l'omaggio dei sudditi.

Visita al Museo Egizio

Almeno due o tre volte l'anno, la domenica, il capitano porta i bambini a vedere il Museo Egizio, anche se il viaggio in tram li eccita piú delle bacheche polverose del Museo. Declina con gentilezza le profferte dei ciceroni, poi comincia a snocciolare i nomi e le imprese dei Faraoni che sembra conoscere per esperienza diretta, avendo lavorato come scriba al loro servizio. Conosce le abitudini dei loro dèi, i riti funebri (i preferiti dai bambini), il tipo di pietra che hanno usato gli artisti per le statue colossali, i basalti, i graniti, l'arenaria, il calcare. Ha un nome anche per gli attrezzi degli scultori. Legge le scritte che corrono lungo i rotoli colorati, e sono composte di piccoli animali stilizzati, disposti in lunghi cortei trionfali. È una fauna famigliare, gatti, rondini, cani, falchi, serpenti, asini, ibis, scimmie come Peperita; c'è anche un'ippopotama gravida con una coda da coccodrillo, in piedi. È una dea che protegge il matrimonio e si chiama Taueret. Torèt? I bambini ridono forte: è il nome delle fontanelle municipali dove vanno a bere, schizzandosi tra loro fino a inzupparsi. Solo Omar, ancora troppo piccolo, si addormenta sulla spalla del padre.

Nadir vuole sapere cosa mangiano gli Egizi. Il capitano parla prontamente di pasticci di carne accompagnati da varie salse, uccelli acquatici, pesci, legumi, uva, datteri, fichi e semi di loto. Gli Egizi non fanno uso di coltelli o forchette: mangiano con le mani dallo stesso piatto. La notizia entusiasma i bambini. Però per le minestre hanno cucchiaini d'oro e d'argento.

Fathima ha scoperto che gli Egizi usano vari tipi di flauto, strumenti a corda, trombe; che le fanciulle hanno pettinature alla maschietta molto moderne. Hanno anche delle cassette da toeletta con vasetti di vetro e alabastro per gli unguenti, per il trucco; e parrucche di capelli veri. I bambini si divertono a trovare delle somiglianze tra le statue e le facce dei vicini, dei compagni di scuola. Thutmosi sembra il bidello della scuola di Nadir, il gran sacerdote è uguale al tedesco del piano di sopra che ripara occhiali. Le Egizie mostrano le tette, anche le regine, belle tette dure, rotonde come bocce; gli uomini portano il gonnellino ma non sono effeminati, sono guerrieri e sacerdoti e scrivani. Non come il parrucchiere di Sassi che anche se è vecchio si tinge i capelli di biondo e fa le mossette. Anche per quello Aida ai bambini i capelli li taglia lei, in casa. Li rapa sempre a spazzola. Solo Fathima ha una nuvola di ricci che pare un cespuglio di more mature. I fratelli dicono che sembra una gran sacerdotessa, una faraona. La Faraona Tettona, sghignazza Nadir.

È naturale che il loro padre sappia tante cose. Lui in Egitto c'è stato, ha viaggiato lungo il Nilo sulle feluche con la vela a triangolo, scoperto tombe, scavato nei deserti, collezionato mummie, cavalcato dromedari, fumato il narghilè, mangiato carne di coccodrillo, messo in fuga turbe di beduini che volevano derubarlo. Ha donato le collezioni che ha accumulato al Museo del Cairo perché troppo ingombranti, ma un giorno vi porterà i suoi figli in visita. Per le sue benemerenze il Gran Pascià gli ha conferito alte onorificenze, e fatto dono di un turbante di seta sormontato da un rubino grosso come un uovo di piccione, che però si è perso nel naufragio della nave che lo riportava in Italia, all'altezza dello stretto di Scilla e Cariddi. Lo hanno salvato le Sirene che vivono in quel braccio di mare, e non sono affatto cattive come sostiene Ulisse. Volevano male a Ulisse perché è fraudolento, come Dante spiega benissimo.

Assai istruttivo era l'uso egizio di introdurre nel bel mezzo di un banchetto una piccola mummia in legno, scolpita ad arte. Visto che tutti dobbiamo intraprendere il viaggio ultraterreno, diceva la mummia con la sua sola presenza, gli astanti si devono godere le gioie del banchetto e del vino. Questa sembra al capitano una prova pressoché definitiva della saggezza degli antichi.

Piú di una volta ha promesso ai bambini di fabbricare un vero papiro con le canne che nascono in riva al fiume, anche se non sono proprio come il loto, che è una pianta cosí bella che forse i pittori se la sono sognata. Per scrivere e disegnare gli Egizi usavano anche ciottoli ben levigati e cocci di vasi.

La casa si è riempita di sassi disegnati fittamente di animali e di guerrieri. Il capitano ci mette anche dei brigantini che con gli Egizi non c'entrano niente.

Un giorno Aida sbotta: *Andè in malorsega co' le vostre pière, sacranón!*

Riempie un secchio e butta tutto a fiume.

Dai quaderni di Angiolina

Marzo 1910

La signora Aida mi ha dato il permesso di fare visita al capitano, non senza prima avermi ammonito di stare attenta, che gli uomini e in specie i vecchi sono tutti dei *porsèi*, e suo marito se lei non gli tiene la briglia corta va a molestare le donne del vicinato, fino a Reaglie, e poi per farsi perdonare le scrive bigliettini amorosi dove la chiama «il mio eliotropio». Crede che con le parole si possa salvare tutto.

Adesso che la posso guardare da vicino, mi colpisce il gonfiore del volto, dell'intera persona. Gli occhi sono diventati due capocchie di spillo, le braccia dei rotoli di ciccia. È accaldata, si sventola con uno strofinaccio, se la prende con il tempo, con le stagioni, eppure l'aria è ancora fredda. Mi brancica, mi parla addosso, come stesse per mordermi. L'alito sa di vermouth, e le parole le si arrotolano in bocca come sassi. Quando dice *porsèi* quasi si sloga le mascelle.

Dai ristoranti che si affacciano sul corso sale l'acciottolio dei piatti che vengono apparecchiati sui tavoli all'aperto e le voci delle cameriere che si scherzano, già bardate nei loro grembiuloni bianchi. Aspettando i clienti si sono sedute in cerchio sulle sedie di paglia, fanno un po' di cucito e si raccontano dei loro morosi, e fanno confronti. Ci sono volte che ne parlano come fossero dei cavalli o dei muli.

Il capitano sta al suo tavolo farcito di fogli, carte geografiche spiegazzate, oggetti, quaderni.

– Guarda qui che insalata russa, – dice.

Mi sono offerta di mettere ordine sul tavolo.

– Per carità,– si è quasi risentito lui, – c'è già l'Aida

che ogni volta pianta un bordello con la scusa di mettere
ordine. Questa mania dell'ordine che hanno le donne! che
poi non si trova piú niente.

Ho preso in mano un grosso quaderno che stava in cima a una pila, istintivamente l'ho aperto. Erano dei fogli cuciti insieme alla bell'e meglio, da lui stesso, credo,
e contenevano dei lunghi elenchi. Lui se n'è accorto, si è
ammorbidito:

– Fa parte del tesoro dei pirati. C'è l'elenco delle mie
schede, le letture che ho fatto. Quando c'è bisogno di qualcosa vado lí, a colpo sicuro.

Ho chiesto il permesso di guardare. Con la sua grafia
leggera e aguzza, inclinata a destra, ha concentrato nei quaderni tutto lo scibile, le meraviglie, le stranezze del mondo. Anni di lavoro. Per attirare l'attenzione del capitano
occorre una dismisura, una distanza che devono restare
incomprensibili, per quanto finga di spiegarle. Questo lui
fa: avvicina e allontana ogni cosa al tempo stesso. Notizie scientifiche e fantasie sfrenate. Usi e costumi bislac-
chi che per essere registrati da lui diventano accettabili,
come se il lettore fosse nato e vissuto solo per il momento
di incontrarli.

Lui è contento del mio stupore.

– Manca niente, – dice. – Vuoi sentire?

Declama: «I pesci volanti. Le linee di navigazione americane e asiatiche. Piante pietrificate. Nuovo rettile au-
straliano. L'uso dell'olio per calmare il mare. I veleni di
moda. La gran muraglia chinese. Temperatura delle pelli degli uomini. Da quanti anni si formò la Terra. Vivere
senza mangiare – i grandi digiuni. I nani celebri. Insetti
fosforescenti dell'America Centrale. Fiore che produce
l'idrofobia. Il sagú e altre piante malesi. I mormoni del
Lago Salato. Spugne perforatrici. Sepolture giapponesi. I
bruciatori di morti in India. La fine del mondo. Bufere di
sabbia in Islanda. L'elica delle navi e sua storia. Un fiore
che nasce al Polo. L'hachsis il narcotico orientale. Neve

colorata. I misteri delle piante – loro anima e simpatie. Il
vampiro del mare, acque messicane. I datteri del Sahara. La
collera delle scimmie. I venditori di vento in China. Scoperta degli aghi da cucire. Il fuoco greco. Macelli di carne
umana in Africa. I turcomanni e i loro banchetti. Pranzo
al Giappone, il Sakè. Nautilo marino, pesce veleggiante.
Testuggine capelluta dei mari della China. I telegrafi sot-
tomarini. Il manzanillo albero che uccide. Le foche dello
Yucatan e Bahama».

   – Ogni cosa al suo posto, un posto per ogni cosa, – ha
commentato soddisfatto. – Serve altro? «... Pioggia di
ragni. Gli abitanti della Luna e altri pianeti. Il deserto
di Sahara tramutato in mare. Il terzo occhio dell'uomo».

   Ha fatto un respiro lungo e detto ancora, quasi timi-
damente:

   – Saturnina, 'scolta, dovrei scrivere, ma ho un cerchio
alla testa, con questa poca luce non ci vedo piú. Ti potrei
mica dettare?

   – Per me sarebbe un onore, capitano.

   – Allora sistèmati qui, ecco, che ti faccio posto. Questa
è la penna. Questo l'inchiostro che faccio io.

   Mi ha messo fra le mani una cannuccia. In cima aveva
legato il pennino con un po' di refe. Dall'altra parte l'estremità del calamo era mangiucchiata.

   – Non ti fa schifo, vero?

   – No. È bellissima. Me ne voglio fare una anch'io.

   – Saturnina, voglio metterti in una delle prossime storie.

   – Sono troppo vecchia per stare nelle sue storie. Ho
quasi vent'anni, sono una zitella. Invece le sue eroine ne
hanno tredici o quattordici, sono bionde con gli occhi az-
zurri. Io sono mora, e se mi disegno i baffi col carboncino
posso anche sembrare un uomo.

   – Adesso che ci penso, – ha detto il capitano, – ti ho
già messo in un libro prima ancora di conoscerti. La chiamano Capitan Tempesta ma è una donna, è vecchia, ha
addirittura venticinque anni. Vedi dunque...

– Nelle sue storie si corrono troppi rischi. Naufragi, battaglie, bestie feroci, oceani infuriati. Non mi faccia prendere troppi spaventi, capitano. Non voglio venire sacrificata alla orribile dea Kalí.

– Lo sai, alla fine c'è sempre qualcuno che ti salva. Io ho il potere di renderti immortale.

– Forse si scrive per cercare di diventare immortali, – ho azzardato.

Lui ha fatto una smorfia:

– Quando si è giovani si è già immortali e basta. Ci sono giorni che odio Sandokan, Yanez, Tremal-Naik, il Corsaro Nero proprio perché continueranno a vivere senza di me. Io non posso piú farli morire, neanche se voglio. Una volta non potevo perché avevo bisogno di loro per raccontare nuove storie. Adesso sono cosí forti che possono fare a meno di chi li ha creati. Come i figli, lo stesso. Crescono, vanno per il mondo e tu per loro diventi un peso. Ti sopportano. Li sento che ridono di me, i personaggi, la notte. Stanno sul ballatoio e ridono. Si sono ribellati a quel vecchio mona del *paròn*. Ma io mi sono vendicato. Li ho fatti invecchiare: Yanez, anche Sandokan. I cinquanta, i sessanta, sono arrivati anche per loro. Sono rosicchiati dalla malinconia. Ingrassano, insieme ai tigrotti.

Ha scacciato quei pensieri. Mi ha piantato addosso uno sguardo inquisitore:

– Ma tu, com'è che non ti sei ancora sposata?

– È che devo star dietro ai miei fratelli. E poi non mi va di andare a fare la serva in casa d'altri. Ne ho già viste troppe.

– Ma il moroso almeno ce l'hai?

– Ce l'avevo, adesso non c'è piú.

– Ti ha lasciato?

– Partito marinaio. A quest'ora sarà in Brasile, nella Terra del Fuoco, con i pinguini, le foche, chi sa.

– E tu?

– Non posso passare la vita ad aspettare che uno torni.

Ha cercato invano di trovare qualche generica parola di solidarietà per la Didone abbandonata. Ho fatto in tempo a cogliere nei suoi occhi un lampo di invidia per il fuggiasco.

– Marinaio di che tipo? – ha chiesto. – Perché ci sono i timonieri, i gabbieri, i parrocchettieri, gli orzari, i pavesari, i drizzanti, i provieri, i floccanti, i piombatori, i savorranti, gli stivatori, i serpanti...

– Il sognatore, credo. S'è scaldato la testa sui libri.

Il capitano ha preso un'aria di contrizione:

– Vuoi dire che è colpa mia?

Ho finto d'essere arrabbiata: – Di chi altri?

Mi ha abbracciato: – In confidenza e senza offesa: ha fatto bene.

Mare

Dopo cinque anni di Torino, il mare gli mancava. Del proprio nomadismo era consapevole; senza esserselo mai detto, si sentiva vivo solo nella tensione di una partenza. Eppure aveva mancato la Grande Partenza, quella che decide la vita una volta per tutte; forse non l'aveva mai voluta veramente. Si accontentava di partenze piccole, ogni due anni, grosso modo: non affrontava l'oceano, preferiva navigare sottocosta, come avesse bisogno di un paesaggio famigliare su cui orientarsi. Talvolta se ne rimproverava come di una colpa grave, si dava del cagasotto. Il Viaggio Mancato era il macigno che si aggiungeva ai tanti pesi di un fallimento piú generale.

Si sarebbe trasferito a Genova per stare piú vicino al suo editore, al Donath, che gli garantiva 8000 lire per tre romanzi l'anno. Scelse ancora una volta una periferia, un caseggiato come tanti, zeppo di famiglie – impiegati, dipendenti dello Stato, artigiani – in cui confondersi. Da via Vittorio Emanuele, a Sampierdarena, il mare non si vedeva. Forse era meglio cosí, perché era un mare spento, che aveva colori metallici, l'aria di una bestia domata, come i bisonti di Buffalo Bill. Lungo la diga correvano fasci di binari su cui facevano manovre vecchie vaporiere affaticate, vagoni scrostati e carri cisterna, scortati da ferrovieri ciondolanti che ogni tanto agitavano bandierine rosse.

L'odore del mare riusciva tuttavia ad arrivare fino a casa, fino alle stanze al pianterreno in cui s'era accampato. Gli bastava, perché s'accompagnava allo sciaguattio lontano che l'acqua faceva in mezzo agli scogli, tra tonfi e risucchi. La notte tra un palazzo e l'altro saettava per un istante il fascio di luce della Lanterna poco lontana. S'era messo a lavorare di notte proprio per stare in compagnia della lama che affettava l'aria nera come la pala di un mulino, dopo aver finito di raccontare una storia a Fathima e Nadir, intanto che Aida era fuori per chiacchiere con le vicine, rumorose e ciarliere al pari di lei, un branco di scimmie rosse. Si aiutava con un caffè allungato che si preparava da solo; per spegnere le sigarette usava una ciotola piena d'acqua di mare. Gli piaceva tenere sott'occhio una lacrima d'oceano.

Quando non lavorava si spingeva fino a piazza Barabino, o prendeva il tram per il centro. Andava per caffè e taverne, cercava congreghe di marinai, si sedeva accanto a loro, captava discorsi, magari s'intrometteva buttando parole precise da cui si capiva quanto lui sapesse di navi e di porti lontani. Anche le informazioni che talvolta chiedeva parlavano della sua competenza nautica («Si dà il caso che di mestiere adesso faccia lo scrittore», spiegava; gli altri non gli chiedevano chi fosse). Beveva come un marinaio, secco e deciso, quasi con rabbia. Alla fine fraternizzavano, cantavano. Il capitano aveva una voce bene intonata.

I personaggi de *Il Corsaro Nero* li aveva trovati a Prè: canaglie sfrontate, guasconi pronti a tutto, come lui avrebbe voluto essere. Se l'umore malinconico di Emilio di Roccabruna signore di Ventimiglia era quello di certe notti in cui gli sembrava d'essersi ridotto a girare all'infinito una pompa di sentina, il mare luminoso dei Caraibi era quello delle uscite in barca a remi, la domenica: era il golfo che s'incurva dolcemente verso ponente.

Aveva trovato il prodiere ideale in un giovane vicino di casa, Carlo Tallone. Era figlio di un distinto funzionario delle ferrovie che aveva combattuto con Garibaldi in Sicilia; studiava all'Accademia di Belle Arti e aveva buona mano per il disegno; aveva letto i suoi romanzi e se ne

dichiarava «invasato». L'adorazione dello studente faceva
bene al capitano. Lo accoglieva volentieri in casa, dove il
ragazzo s'incantava alle pile di libri di viaggi e di enciclopedie ammonticchiati per terra. Chiedeva se per davvero
li aveva letti tutti.

Ecco altri scampoli di gioia da mettere nella valigia del
congedo: lui che arriva ai Bagni Margherita, si toglie gli
stivaletti e rimbocca i pantaloni; la spiaggia scura sparsa
di una minutaglia di telline, conchiglie bianco-rosa, ossi di
seppia; il freddo improvviso dell'acqua tra i piedi; il ragazzo
deferente che lo fa salire a poppa, spinge al largo la barca
e ci salta dentro agilmente; la luce di perla del mattino, il
golfo che si apre a ventaglio, Genova superbamente bella
negli spalti dei palazzi signorili.

Belàn, sospira estatico il capitano. Gli piace dire qualche parola di genovese. Gli piace dire *belàn* e *belín*. Carlo
è contento per lui.

Il capitano ha un moto di pietà per sé medesimo che sa-
crifica l'azzurra immensità delle acque all'antro fumigante
in cui si rinchiude per scrivere. Per vincere l'intenerimen-
to, vuole dimostrare al ragazzo quanto siano ancora forti
i suoi muscoli, lo sfida. Il ragazzo risponde, mette troppa
forza nel remo che gli salta dallo scalmo. Marinaio d'acqua dolce, ti faccio vedere io!, grida il capitano. Oppure
all'improvviso impartisce ordini concitati:

– Imbroglia la maestra e la gabbia, controbraccia il trin-
chetto, cazza la randa! All'orza!

Aggirano la Lanterna, s'infilano cautamente in porto,
misurano le fiancate delle navi in partenza per l'America.
Si intimidiscono e provano una sensazione d'orgoglio. Il
capitano ha sempre pensato e scritto che un grande paese
deve avere una grande flotta. Sui moli ci sono lunghe file
d'emigranti in attesa d'imbarco, con involti piú grandi di
loro e grappoli di bambini stretti come greggi spaventate.
Quando li vede il capitano s'incupisce e decide di tornare indietro.

Il capitano ama parlare con la proprietà dei veri marinai, dice controvelacci, terzaruoli, bastingaggio, battagliola, giardinetto, bagli, paterazzo, tonneggiare, boma, dolfiniera. Il ragazzo pensa che se non amasse tanto la pittura gli piacerebbe essere uno scrittore di mare, dare a ogni cosa il nome esatto, come fa l'amato capitano.

Quando torna dalle gite in barca il capitano si sente forte e leggero come una vela. Il ritmo delle frasi diventa lo stesso dell'onda lunga.

... Sotto i flutti, strani molluschi ondeggiavano in gran numero, giuocherellando fra quell'orgia di luce. Apparivano le grandi meduse; le pelagie simili a globi luminosi danzanti ai soffi della brezza notturna; le graziose melitee irradianti bagliori di lava ardente e colle loro strane appendici foggiate come le croci di Malta; le acalefe, scintillanti come se fossero incrostate di veri diamanti; le velelle graziose, sprigionanti da una specie di cresta dei lampi di luce azzurra d'una infinita dolcezza, e truppe di beroe dal corpo rotondo e irto di pungiglioni irradianti riflessi verdognoli...

Il Corsaro Nero sta venendo bene. Dei suoi figli cartacei, cosí tanti che comincia a non ricordarne piú i nomi, è il preferito.

Ha fatto bene a trasferirsi a Genova. Pensa a se stesso studente a Venezia, misura la strada che ha fatto.

Un giorno di maestrale il capitano lascia di scatto i remi, si alza in piedi facendo ondeggiare la barca, tende il braccio e grida al giovane Tallone:

– Là, là!

Sulla linea dell'orizzonte, verso sud, gli sembra di vedere una sottile striscia grigia. Il capitano la saluta sventolando la paglietta. Il ragazzo sforza gli occhi ma non riesce a vedere niente.

La Corsica!, mormora a se stesso il capitano. In quel

punto grigio stanno concentrati i mondi che lui avrebbe voluto visitare. Gli vengono gli occhi lucidi. Ringrazia il ragazzo come se l'apparizione fosse un dono suo.

Agli incontri con l'editore Donath è sempre presente il suo factotum, Edoardo Spiotti. Il piccolo tedesco dagli occhiali d'oro, rosso di pelo e di pelle, parla poco. Giocherella con la penna stilografica e lascia fare a Spiotti che ha una bella parlantina, e snocciola a memoria numeri, copie tirate e vendute, anticipi, senza bisogno di consultare carte. Spiotti è deferente, ogni volta trova parole di grande considerazione. Il capitano pensa che i suoi meriti vengono finalmente riconosciuti. Firma contratti senza leggere le clausole. Quando infila nel taschino interno della giacca i biglietti di banca del compenso pattuito gli sembra di avere tra mano una manciata di paglia. Li consegna ad Aida senza contarli. Lei ogni volta fa una faccia come a dire: tutto qua?
Lui è già con la testa altrove, alla prossima storia. Cambia romanzi come cambia casa.

A Genova il capitano ha trovato un nuovo amico. È pittore, lo ha reclutato l'editore Donath per illustrare i suoi libri, perché Pipein Gamba, che pure è bravissimo, non ce la fa piú. Viene da Napoli, va per i cinquanta, ha due occhi lucidi di taglio orientale, fronte bombata, naso autorevole, barba folta. Si chiama Alberto Della Valle, e come molti pittori del suo tempo è un appassionato di fotografia. Per le illustrazioni, fotografa dei modelli che lui ha opportunamente abbigliato e istruito sulle pose che devono tenere; poi dipinge le tavole tenendo sott'occhio le fotografie. I vestiti li cuce sua sorella Clelia, incrociando scampoli di seta e di raso, adattando cose di famiglia, improvvisando turbanti; lui ci mette i pezzi pregiati della collezione accumulata negli anni. Possiede stivaloni, cappellacci, spade, fioretti, scimitarre cinesi, kriss malesi, pistole, fucili e tromboni, misericordie spagnole, e – preziosa tra tutte – una rivoltella con l'impugnatura di madreperla che è tal quale quella di Sandokan. Per suggerire un remo o un timone va bene anche un manico di scopa.

Ogni scena è pensata con cura. Alberto Della Valle prende appunti scrupolosi su come organizzarla: «Oste in fondo, disperato. Quattro sguatteri imprecano seduti su una trave. Scaletta che conduce in cantina. Boccali rotti in terra». Dispone gli attori – famigliari, amici, sé medesimo –, dà ordini precisi, è incontentabile. I gesti hanno da essere parlanti. Grida: «Il braccio piú avanti, il ginocchio piegato! Piú alta la scimitarra! Bisogna dare piú forza al colpo per ammazzare un inglese!» C'è anche sua moglie, la sistema su una sedia a dondolo che si immagina a bordo di una nave. Deve rivolgersi mestamente a un distinto capitano in giacca e bottoni dorati, in piedi accanto a lei: «Sir Moreland, dimenticatemi».

Il capitano partecipa alle sedute fotografiche con vero trasporto. Non si intromette e non dà consigli perché il pittore napoletano comanda lui. Esegue da vero professionista quel che il capitano si diverte a improvvisare in casa o in cortile con i bambini, i vicini. Gioca seriamente, e seriamente si diverte. Ama impersonare Yanez, si riconosce nella fierezza e nella cortesia del «nobile cavaliero delle Celebes». Se è necessario, si denuda, e cinto di un perizoma alza la frusta su un prigioniero. Dispone cognati, cugini e nipoti in un viluppo di guerrieri abbattuti da Sandokan, che troneggia sopra di loro con sciabola e pistola. Sa essere spavaldo, sarcastico, stupefatto, feroce, atterrito, supplice.

Le pose sono lunghe, il pittore infaticabile. Il capitano applaude da dietro il cavalletto della macchina fotografica, si complimenta. Lo lusinga che si parli delle rappresentazioni come di altrettanti *tableaux vivants*. Il pittore ridacchia soddisfatto togliendosi il turbante. Anche i suoi famigliari hanno la scioltezza degli artisti circensi, come non avessero mai fatto altro.

Il capitano pensa che a Napoli tutto è meravigliosamente, spontaneamente teatrale. Al confronto della tribú dei Della Valle, si sente goffo, impacciato. Pensa che sono piú salgariani di lui. Hanno con i suoi personaggi una dimestichezza, una confidenza carnale che lui, il loro padre, sente di non possedere. *Sono* i suoi personaggi anche se si muovono in una casa borghese, tra una specchiera, un comò, una poltroncina. Nulla può abbassare la nobiltà dei loro gesti.

Sono belle, le copertine e le tavole di Della Valle e di Pipein Gamba, fanno vendere bene. Il capitano ha scoperto d'essere geloso delle illustrazioni dei suoi libri. Sono loro a fissare le emozioni indelebili che i giovani lettori si porteranno dietro nell'età adulta. Sandokan, Yanez, il Corsaro Rosso avranno per sempre il volto barbuto di Della Valle, la sua corpulenta, ironica autorevolezza di rajah bianco.

Torna a rimpiangere di non aver abbracciato la carriera del pittore. Nelle immagini c'è una verità immediata che le parole faticano a esprimere. Nelle sue schede ha annotato un pensiero di Leonardo: «Molto son piú antiche le cose che le lettere... A noi basta le testimoniantie delle cose». Voleva dire le cose che si vedono, si toccano. Le cose che testimoniano da sole, con la loro nuda esistenza.

Anni dopo ci ripensa. Non è piú d'accordo con Leonardo. La figura è una e una soltanto, mentre le parole contengono tutte le immagini possibili.

Una notte del 1899 un uragano investe Genova. In una rincorsa di onde sempre piú alte, il mare si solleva oltre gli scogli della diga, piomba sui binari della ferrovia, rovescia vagoni, dilaga nel borgo detto della Coscia. Il capitano sente cupi rimbombi, come i colpi di un maglio gigante; conosce il mugghio dell'onda che si avventa, ma non vuol credere alle proprie orecchie. La porta-finestra di casa si apre di schianto, i vetri vanno in frantumi, l'acqua gelida gira per casa ansando come un animale immondo.

Aida grida, mette in salvo i bambini sul letto matri-
moniale, solleva sulla testa Romero infante. Il capitano si
getta sulla cassetta delle schede. Si sente colpito a tradi-
mento, impreca.

Libri, enciclopedie, atlanti e giornali vanno perduti.

Adesso guarda Genova con occhi diversi. Comincia a
dire che è cara, troppo cara. Che la casa è buia, rumorosa,
lui ci lavora male. Che l'umido gli fa venire i reumatismi,
l'artrosi. Gli manca il verde, il giardino. Lui è rimasto uno
di campagna.

Vuole tornare a Torino.

Aida grida che la sua vita è un manicomio.

Dai quaderni di Angiolina

Aprile 1910

Il capitano ha traslocato di nuovo. È venuto a stare piú vicino, al numero 205 di corso Casale. Due stanze al primo piano affacciate sul corso, piú la cucina che dà sul fiume, cioè sul cortile, dove stanno le botteghe degli artigiani. La signora Aida si è lamentata per giorni delle fatiche dell'ennesimo trasloco, in vita sua non ha fatto altro che traslocare manco fosse la moglie di un militare di carriera, da Verona a Torino a Cuorgnè a Torino a Genova e di nuovo a Torino, apri bauli e chiudi casse, neanche a Torino lui riesce mai a trovare il posto giusto, sempre a saltabeccare da un quartiere all'altro, dal centro alla campagna, ogni volta tirandosi dietro la chincaglieria dei selvaggi. Anche stavolta Aida ha ceduto. Spera che il cambiamento gli dia un po' di sollievo. Non fa che parlare del pericolo della cometa di Halley. Sui giornali scrivono che verso la metà di maggio si scontrerà con la Terra.

Non ho avuto il coraggio di chiedergli il perché del nuovo trasferimento. Forse si sente piú vicino al fiume, o piú vicino alla città – ma per cosí poco, cinquecento metri? Forse al primo piano ha piú luce, lui che si lamenta di perdere la vista. Forse la pigione qui costa meno. Forse gli piacciono i mulini che stanno proprio attaccati alla casa, potrebbe stare per ore a guardare le ruote che girano e fanno *cling clang*. Ripete che sono vecchie e malandate come lui, eppure funzionano ancora. Gli piace anche guardare il fabbro e il maniscalco. Parla spesso della dignità dei lavori manuali, nascesse un'altra volta vorrebbe fare il falegname, il calafato. Quando si è messo a descrivere come si deve stendere il catrame sul fasciame di una barca si è intenerito, quasi stesse parlando di come spalmare unguenti balsamici sul corpo della donna amata.

I cari oggetti esotici, gli scudi, le zagaglie, gli archibugi, le frecce, le fiocine hanno cambiato muro, ma ce li ha sempre accanto. I facchini si sono rotti la schiena a portare su il piano di Fathima che non girava dalle scale, ma lui pensava soltanto al tavolino smontabile. Raccomandava ogni cautela e riguardo, come fosse un neonato.

Si lamenta che gli oggetti gli scappano, si nascondono, non si fanno piú trovare, soprattutto quelli che ha sotto il naso, il lapis, la tabacchiera, le forbici, persino il bastone da passeggio e il berretto, quando deve uscire. Accusa la signora Aida, i ragazzi, ma loro almeno di quello non hanno colpa, lo sa bene anche lui. Dice che non è perché ci vede sempre meno, è proprio che gli oggetti sono diventati dispettosi. Poi ammette che dovrebbe farsi visitare da un oculista, ma costano cari, cosí continua a farsi vedere solo dal dottor Heer per gli altri disturbi e siccome il dottor Heer per buon cuore non lo fa pagare lui non gli dice niente dei disturbi alla vista, né degli oggetti che gli fanno i dispetti e poi all'improvviso ricompaiono sotto i suoi occhi e anche questo fa parte della loro dispettosità. Eppure il dottor Heer potrebbe spiegare la faccenda degli oggetti fantasma e dargli delle cure.

Adesso si sveglia di soprassalto nel cuore della notte convinto che il sole si sia già alzato da un pezzo ma lui non può vederlo perché è diventato cieco del tutto. Allora afferra angosciato la scatola di zolfanelli che tiene sul comodino e ne sfrega uno che tiene pronto finché sente lo sfrigolio e compare la piccola luce gialla e azzurra. Si lascia ricadere di peso sul cuscino e il letto traballa, ogni volta Aida si sveglia e non riesce piú a riprendere il sonno e la mattina è intrattabile.

Il cavaliere è preoccupato per la signora Aida. Prima accadeva che quando stavano per arrivare le sue regole mensili diventava come pazza e non le si poteva parlare, anche la parola piú tranquilla la mandava in cimbali, prendeva tutto come fatto e detto contro di lei. Adesso grida per niente anche nei giorni buoni, che lei non ce la fa piú, che i maschi la mangiano viva sempre dietro a combinar disastri, che i vicini le parlano male, che il panettiere ruba sul peso, che suo marito lo vede solo di schiena e ha per amanti degli editori che lo sfruttano, che lei tornerà a Verona, a fare la teatrante e l'artista, che di vecchi ammiratori e corteggiatori ce ne aveva a grappoli per sera, le davano belle soddisfazioni e lei invece aveva creduto alle patanflàne del marinaio, non era questo che si aspettava dal grande esploratore, dal selvaggio malese che aveva girato il mondo e conosciuto sultani e maragià e faraoni, e invece adesso bisognava stare a contare i centesimi e come se non bastasse Fathima era malata di petto. Quando stavano al Villino Levi lei non vedeva nessuno, doveva contentarsi dell'aria buona che scende da Superga, non aveva nessuno con cui fare conversazione, certo non con madama Garrone la padrona di casa, tanto a modo ma via di testa e che poi ci interessavano solo le storie dei suoi nipoti, cosí bravi, tutti diplomati e laureati e medagliati e avviati a un sicuro avvenire, l'unico difetto che avevano era che non la venivano mai a trovare.

No, con madama Garrone non si poteva certo parlare, tanto meno delle questioni che di solito si parla tra donne e ci si aiuta, per esempio la faccenda che suo marito non la tocca piú e che lei non è una slandra ma la natura ha le sue esigenze, lui è un cireneo *disgrassià* e non si possono fare rimproveri, butta sangue per mantenere la famiglia, ma lei quando vede passare certi soldati, carrettieri e barcaioli giovani, con i muscoli che gli scoppiano fuori dalla camicia, e l'aria da padroni del mondo, lei si sente piegare le ginocchia, le vengono delle fantasie che poi è anche

peggio, non si può sempre accontentare da sola, deve fare
degli impacchi freddi, e non sa perché racconta queste cose proprio a me che potrei essere sua figlia, forse per via
che ho la faccia di una che sa comprendere e devo anche
fare da mamma ai fratelli piccoli, non sa con chi confidar-
si, bella roba essere sposati e ritrovarsi soli in due, lei si
sente come perduta in mezzo alla jungla e la tigre che sta
lí pronta per mangiarla è proprio lui, non aspetta altro, poi
le mancano i suoi gemelli, ossia le gemelle che sono morte
subito dopo il parto per colpa di quella bestia 'sassína della
levatrice, mica sua che i figli li ha sempre saputi fare, sono
sette anni fa ma è come se fosse adesso, e adesso sarebbero
cresciute e le darebbero un po' di conforto, siccome che
a Fathima non si sente di chiedere niente perché è malata
di petto e ha già i suoi studi e fa tanto bene, e promette,
anche la sua maestra la signora Landi è contenta, ma insomma è segnata anche lei, povera figlia, tutti i Salgari sono segnati, pare lo dicesse pure zia Filomena, a Venezia, *i
Salgari i more tuti mati*, anche il padre d'Emilio *el s'è copà*,
e suo fratello lo stesso, che Dio li perdoni e accolga tra le
sue braccia misericordiose e anche l'Emilio, basta, non voglio dire, ci ha già provato il giorno che s'è lasciato cadere
su una spada, una draghinassa, non so, facciamo che sia
stato un incidente, ma Fathima si è spaventata che ancora
adesso piange, e da allora anche il suo male è peggiorato.

Aiutalo tu, supplica Aida, tu che hai letto dei libri e
ai tuoi fratelli la notte gli racconti delle storie per farli
dormire. Scrivi tu per lui, inventa le storie che lui non è
piú capace nemmeno di pensare perché le ha già raccon-
tate tutte, e adesso sta finendo anche quelle dell'America
e dei pellerossa, e non sa piú in quale continente andare
a pescare, è già stato perfino al Polo tre volte, una in velocipede, una con l'automobile, l'altra col sottomarino.
Non trova piú nemmeno le schede che tiene nella scatola
famosa, eppure da lí non possono scappare, tutte le sere
le conta e le sistema per bene e le chiude a chiave come

se fossero biglietti di banca, e solo all'idea di perderle diventa matto.

Ho cercato di spiegare ad Aida che il signor Emilio è troppo orgoglioso per farsi scrivere le storie dagli altri, figurarsi da una pivella. Ha detto che l'orgoglio non dà da mangiare, se si perdono i denti e i capelli si può perdere anche l'orgoglio. Solo nei libri ci sono i miracoli di quelli che arrivano a salvarti all'ultimo minuto, solo lí Sandokan si prende una palla in petto e sta benone lo stesso, lei invece è come se le sparassero tutti i giorni con palle vere, e butta sangue e non c'è nessun maragià che la cura e le fa gentilezze. Sono vent'anni che cerca di salvarlo, ma lei nessuno la salva, i parenti sono lontani, al massimo spillano soldi all'Emilio, altro che aiutare lei.

Poi comincia a piangere, si scusa, mi abbraccia, si asciuga le lacrime con il grembiule sporco, apre il portello della stufa e attizza il fuoco, sbatte il portello con rabbia, e agita per aria le molle che sembra la figlia del Corsaro Nero, pensa la stessa cosa anche lei, sorride tra le lacrime, scuote le spalle, torna ad abbracciarmi, dice di andare via, dice di tornare presto, che sono buona, che le gemelle sarebbero diventate come me: alte, diritte e buone.

Quando aveva perso le gemelle, nel 1903, era andata da suo fratello a Venaria per riprendersi un po', ma aveva l'ossessione dei soldi che spendeva fuori di casa e di quelli che spendeva lui che non sapeva amministrarsi. Altro che riprendersi, le veniva l'angoscia. E lui a mandarle il conto dei crediti che aveva, e delle spese modestissime che faceva: 8,60 lire di pane al sedici del mese, per la carne sarebbe arrivato al massimo a 26, a 6 con il carbone perché ce n'era ancora; dal calzolaio miserie, la lavandaia l'avrebbe pagata lunedí. Vivevano egualmente bene mangiando benissimo, i bambini potevano confermare, lui si dispiaceva di farle delle sfilze di conti senza una frase d'amore, ma cosí le toglieva la preoccupazione, era lieto di tranquillizzarla, si dispiaceva che lei lo pensasse sempre ubriaco, al massimo un litro di birra la sera che erano stati sul balcone a vedere i fuochi artificiali, inutile dirle quanto la desiderasse, alla sera soprattutto quando si sentiva isolato, il letto senza il profumo della donna è una landa infinitamente triste senza il profumo d'un fiore, ma presto avrebbe nuovamente aspirato l'eliotropio sulle sue carni, lo desiderava tanto ardentemente, ecco le cose che scriveva, e adesso niente, si vede che lei non manda piú profumi, nessun eliotropio.

Le sembra di stare chiusa in un sacco buttato a fiume. Le manca l'aria, le manca tutto.

Se vuoi andrò a rovesciare un sultano per darti un regno, se vorrai essere immensamente ricca io andrò a saccheggiare i templi dell'India e della Birmania per coprirti di diamanti e di oro; se vuoi mi farò inglese; se vuoi che io rinunci per sempre alle mie vendette e che il pirata scompaia, andrò a incendiare i miei prahos onde non possano piú corseggiare, andrò a disperdere i miei tigrotti, andrò a inchiodare i miei cannoni, onde non possano piú ruggire e distruggerò il mio covo.

Parla, dimmi ciò che vuoi; chiedimi l'impossibile e io lo farò. Per te mi sentirei capace di sollevare il mondo e di precipitarlo attraverso gli spazi del cielo.

Il gioco della valigia

Il signor Demo gli ha confidato che si è accorto di essere in là con gli anni perché gli viene da fare il gioco della valigia. È semplice, come tutti i giochi importanti. Si tratta di immaginare che cosa portarsi dietro il giorno che bisogna partire una volta per tutte: le cose che hanno contato veramente nella tua vita, che ti hanno dato gioia, anche per un solo istante. Per esempio il signor Demo ricordava ancora l'emozione di quando era bambino e aveva addomesticato un passero che veniva a mangiargli in mano. Ricordava la presa salda e leggera insieme delle piccole zampe sul dito. L'aveva battezzato Luigino.

Il capitano cammina lentamente sull'argine imbiancato dalla neve. Anche per lui è arrivato il tempo del gioco della valigia, ma fatica a immaginare qualcosa da metterci dentro. È un effetto dello *spleen*, si dice, è la nevrastenia degli scrittori. Lui la valigia ce l'ha già, è la cassetta con le schede e le trame dei libri che gli sono venute in mente, e le note e gli appunti. Non ha mai avuto il tempo di pensare al passato o di tenere un registro dei propri sentimenti. Non si è mai concesso il lusso di un diario, di uno zibaldone. Sono cose da signori, da perdigiorno. Anche senza diari, gli è rimasta memoria soltanto di cose che bruciano. Per il resto ha vissuto al presente, o nel futuro prossimo delle scadenze che si è lasciato imporre dagli altri. Forse se le è imposte da solo, per punirsi di colpe che non ha mai voluto chiarire a se stesso.

Forse ha avuto paura di fermarsi a pensare. Per questo ha corso sempre.

Sin da giovane ha dovuto concentrarsi sulla sfida del momento. Ha tenuto gli occhi bassi sul tratto di strada che gli toccava, teso nello sforzo di arrivare al traguardo, fosse una gara velocipedistica o un articolo di giornale. C'era sempre un dovere che lo obbligava. Gli piaceva il senso di appagamento che dà il fisico quando risponde allo sforzo. Pensava come deve sentirsi bene l'arco quando scocca la freccia, il brivido che il legno e la corda costruiscono insieme, come due amanti affiatati. Nella valigia poteva mettere le gare di velocipede, ginnastica, scherma e nuoto che aveva vinto. La volta che aveva pubblicato la prima puntata di *Tay-See* sulla «Nuova Arena». La volta che aveva organizzato una spedizione da Verona a Mantova con la Società Velocipedistica. Erano partiti all'alba e tornati a notte, stremati dalla felicità, tenendosi su con la grappa ogni dieci chilometri. Dai campi accorrevano contadini a incitarli.

Ricordi lontani, rigidi della fissità smaltata degli ex voto. Appartenevano a un altro.

All'improvviso sa cosa mettere dentro la valigia del commiato. Sono i rari momenti tra maggio e giugno, o tra settembre e ottobre degli ultimi anni, giornate perfette di sole, di fresco, di aria cristallina appena lavata dalle piogge. Poche, perché i miracoli sono rari. Accade quando si regala una pausa per il mal di testa del troppo scrivere. Scende in cortile verso le cinque, barcollando per lo sfinimento, facendosi guidare dal corrimano rugginoso della scala. Si lascia cadere su una vecchia sedia di ferro vicino all'albero del darmassino, quello stesso che ad aprile lo fa trasalire di gioia fiorendo all'improvviso, nuvola bianca da cui il vento leggero della sera estrae una pioggia di petali. Lí spiana il volto al sole. Lascia che ogni sua cellula, di cui sa l'avvizzimento precoce, come se le conoscesse personalmente una per una, si inondi di un tepore lenitivo. La goduria delle lucertole, pensa. La goduria delle piante di madama Bergero, impiegata alle Regie Poste, nel giardinetto della casetta rosa che sorge nel cortile condominiale: la magnolia con la lacca cheratinosa delle foglie traslucide, l'olmo con la trama vaporosa delle foglie seghettate; il faggio sontuoso nella livrea tra viola e marrone; il fico fiorone, ubriaco dello stesso disordine con cui cresce, sprezzante delle maldestre potature di madama Bergero. A pianterreno, verso mezzogiorno, corre una folta siepe di gelsomino, che esala fino a lui il suo profumo stordente, come una femminilità troppo esibita. Il capitano invidia le api e i calabroni che si tuffano ingordamente nei fiori stellati. Il loro ronzio è il suono del possesso trionfante.

Gli occhi socchiusi, il capitano dedica agli alberi pensieri religiosi. Si sente in comunione con i platani possenti che rinforzano l'argine del fiume, gli altissimi pioppi fruscianti, i tigli profumati che dopo la pioggia lasciano a terra una poltiglia biondo scura, i frassini che invadono i prati come sciami di pellerossa in agguato, le foglie delle robinie come collane tondeggianti.

Piange lacrime silenziose che gli fanno bene.

Nel sole di giugno cerca di respirare a fondo, spingendo l'aria sotto il diaframma. Fortuna che ha lasciato le sigarette a casa, dal panciotto sporge soltanto la cipolla dell'orologio che non consulta mai. Per sapere l'ora gli basta la campana della chiesa, che rintocca anche troppo di frequente. Riesce a produrre anche tre pagine l'ora, quando tutto fila liscio, se trova subito le schede che gli servono.

Un bambino gli ha chiesto se ha mai fatto un calcolo dei personaggi che ha creato. Mille, duemila, tremila? Abbandonato al sole «come un varanide», pensa, adesso li sente estranei, rumorosamente inutili, con i loro berci, i gesti scriteriati cui lui stesso li ha obbligati. Figli storti, stravolti dal rictus della ferocia. Spacconi, lunatici, ciarlieri, pronti a ingannare, a tradire. Molti li ha puniti mandandoli a morire, a migliaia, di colpi di cannone e di mitraglia e moschetto, di taglio e di punta, d'acqua e di fuoco. Solo Napoleone ne aveva ammazzati cosí tanti. Adesso è pronto a barattarli per il faggio, per il fico di madama Bergero, per il darmassino fiorito, per i tigli dell'argine. I suoi veri figli sono le piante, sin da quando a diciott'anni, al Congresso geografico internazionale di Venezia, nel padiglione delle Indie olandesi s'era incantato davanti a una riproduzione della Rafflesia gigante: il fiore piú grande e piú brutto del mondo, un parassita rossiccio con le picchiettature bianche della velenosissima Amanita, un grosso imbuto come quello dei fonografi, senza foglie né radici, che puzza di carne avariata, impiega mesi per giungere a maturazione e poi appassisce in capo a una settimana. Un rebus, per i botanici, che non hanno mai saputo bene in quale famiglia iscriverla.

Cosí devono essere le piante: ribalde, carnali, belluine, imprevedibili, fatte per stupire, come il petto di Ada. Non classificabili. Nelle sale del padiglione olandese l'aveva preso un'agitazione che non riusciva a dominare. Adesso sa che voleva trasmettere l'emozione della Rafflesia, della sua portentosa mostruosità, agli amici di Verona, alle cugine schizzinose, a sua madre, che aveva l'abitudine di chiamare le piante con il loro nome botanico. Un giorno d'estate, additando un oleandro che cresceva in vaso nel cortile di casa, gli aveva spiegato che il suo nome scientifico è *Nerium*. Lui non voleva crederci. Nulla è piú lontano dall'idea di nigritudine del rosa tenero dell'oleandro. La classificazione botanica è poca cosa rispetto alla magia dei nomi. Lui, che scienziato non è, sa far sentire al lettore non soltanto il profumo delle piante esotiche, ma anche di quelle che fioriscono solo nella sua immaginazione.

Tutto lo scrivere che s'era lasciato crescere addosso come una vegetazione tropicale, sino a farsene soffocare, aveva avuto proprio quello scopo: trasmettere agli altri lo stupore di fronte all'enorme Rafflesia. Era voluto diventare il padre dello stupore. La materia stava lí sottomano, ordinata nei trattati e nelle enciclopedie e nei libri del mondo, ma rigida, inerte, prigioniera nelle cellette delle classificazioni scientifiche. Lui aveva soffiato su quella creta inanimata, vi aveva infuso lo pneuma originario della creazione, un soffio potente simile a quello divino. La materia aveva preso vita in un turbine gioioso, combinandosi in nuove forme e odori e colori, in prodigi mai visti né immaginabili prima.

C'erano stati giorni in cui, arrivando a sera con i muscoli dell'avambraccio indolenziti, si era sentito come il creatore al settimo giorno. Pensava con orgoglio d'essere diventato il dio della Sovrabbondanza.

Oltre i pioppi che frusciano nel vento lieve della sera incombe la nuova notte.

Rientrato in casa, scalando i gradini uno per uno con gemiti di fatica, il capitano va alla credenza e tira fuori la bottiglia di marsala. Poi rimesta con uno stecco nella grossa boccetta dell'inchiostro vegetale, che tende sempre ad aggrumarsi. Ai bambini delle scuole ha detto che la vecchia abitudine di farsi l'inchiostro da sé, con le bacche del sambuco, è un ricordo di quando viveva nelle foreste del Borneo. Aida, che ogni tanto si ferma a leggere i fogli che lui accumula sul pavimento facendo commenti, dice che il suo inchiostro quasi non si legge piú:

– *El par piso de canarin.*

Riprende a scrivere:

I topi, affamati da chissà quali lunghi digiuni, poiché in quei sotterranei nulla potevano trovare da rosicchiare, si erano scagliati furiosamente sull'agnello mandando altissime strida.

Cento, duecento, forse trecento mascelle armate bensí di piccoli denti ma assai acuti, si misero al lavoro stritolando le ossa come se fossero semplici zuccherini.

Un solo minuto era bastato per far scomparire tutto.

Messi in appetito ed accortisi che vi era un uomo da spol-

pare, si radunarono dinanzi al materasso su cui si trovava il prigioniero, formando cinque o sei ranghi fittissimi.

– Hai veduto, sahib? – chiese il baniano a Kammamuri.

– Non sono ancora diventato cieco e spero di non diventarlo nemmeno piú tardi, – rispose Kammamuri.

Depone la penna. Ha un conato di nausea. «Non sono ancora diventato cieco». Figurarsi. Ogni giorno che passa è peggio. È come se fosse finito anche lui nei sotterranei dell'Assam. Alza gli occhi alla finestra. Si lamenta che la casa è buia, oltreché rumorosa per via degli strepiti dei vicini. Per arrivare alla fine del libro ci vorranno almeno duecento fogli dei suoi. Si è spolpato da solo. Si è lasciato spolpare peggio di un montone.

Tramonti

La sera Aida si sgola per mezze ore a chiamare dal ballatoio i figli dispersi per orti e canali promettendo cinghiate se non tornano. Accanto a lei c'è Fathima che si torce le mani. È un tormento vedere sua madre agitata. Per tenere quei briganti Aida gira con una vecchia cintura in cuoio del capitano. *Ti me pari un thug co' le siarpe*, le dice il capitano, cercando di sorridere. Lei cerca di far schioccare la cinghia per aria come un domatore, ma il piú delle volte le si avvoltola al polso. I ragazzi cacciano delle risa ancora piú sforzate per provocarla.

– *Pampalughi! Ve còpo!* – grida lei.

Di Nadir sa che va per orti a rubare frutta ancora acerba – a fare maroda, come si dice – o si spinge sino all'isola che s'è formata in mezzo al fiume, popolata di conigli selvatici, dove lui ha la proibizione di andare. Un giorno è tornato reggendo un bellissimo coniglio bianco per le orecchie. Il padre ha proposto per scherzo di farlo arrosto, i ragazzi hanno fatto tali urla che i vicini sono usciti sui ballatoi. Il coniglio è stato associato allo zoo famigliare, dove si comporta con esemplare discrezione. È diventato amico della tartaruga. Sono strani gli amori degli animali dei Salgari. Per esempio Niombo ama l'oca che lo ricambia con beccate rabbiose.

Negli incubi notturni di Aida c'è anche il giorno d'agosto in cui nel fiume mezzo secco la corrente ha portato ad arenarsi proprio lí davanti, sul ghiaione dove il torrente Chieri si butta in Po, il corpo di un bambino di sette o otto anni, annegato. La madre era arrivata correndo giú per la proda facendosi largo tra militi e barcaioli e lavandaie. Gridava da gelare il sangue che voleva prenderlo lei, che dovevano darlo a lei. I carabinieri non erano riusciti a fermarla. Quando lo aveva sollevato e stretto a sé, ad Aida s'era stampato in mente l'abbandono del piccolo braccio sinistro che ricadeva nel vuoto con la lassitudine dei bambini addormentati.

A lei il fiume ha sempre fatto paura. I fiumi dalle nostre parti non sono come il benefico Nilo di cui parla sempre il marito, che feconda la terra dolcemente con le sue piene regolari, maestose, prevedibili. Sono fiumi di rapina, hanno violenze da ubriachi e non rispettano nessuno. Le piene sono stupri. Aveva ancora nelle narici l'odore acuto del fango dell'alluvione che nel settembre 1882 aveva spazzato Verona e mezzo Veneto, trascinando via barche, carretti, mulini, filande, segherie, osterie, banchetti dei fiori, persino un magazzino di bare. Per giorni il fiume aveva fiondato carcasse di animali gonfi come otri, e alberi con tutte le radici in aria che beccheggiavano nelle onde marroni e centinaia di bottiglie nere. Per settimane la città era rimasta sotto un velo untuoso color tortora, in cui si erano mescolati tutti i colori delle terre di montagna e di pianura.

Da allora Verona ha smesso d'essere una città d'acque. L'hanno chiusa e nascosta dietro una cinta d'alti muraglioni. L'hanno imprigionata. Perduta la confidenza con il fiume, perduto il confine tra l'acqua e la terra, il fango umido da cui tutti siamo usciti. La Madonna del Pilone al capitano piace perché il fiume è lí, come averlo in giardino.

Quando il sole cala dietro i platani, il fabbro Cagnasso, in cortile, spegne i fuochi e spranga la bottega. Il maniscalco Berrino si strofina vigorosamente il torace alla pompa del cortile, cosí a lungo che ogni volta c'è un inquilino che gli grida di mollarla lí di sprecare troppa acqua, che poi tocca pagarla a tutti i condomini. L'oca Madama Sempronia, imprevedibilmente lesta sulle zampe, sta inseguendo Gioacchino detto Purillo, il bambino dispettoso del 203 che l'ha molestata; la madre di Purillo corre appresso a tutti e due soffiando che lo sa bene, lei, che fine farà l'oca un giorno non lontano; dal primo piano le strillano che Purillo è un *disbèla*, e si merita che l'oca gli morda il culo. La scimmia Peperita è di nuovo fuggita sui tetti, sfidando la fragilità delle grondaie mal combinate; tornerà all'ora di cena per rubare con destrezza dalle pentole o dal piatto di Omar, che ancora non ha imparato a non farsi sorprendere.

Anche i gatti rubano in cucina, cosí bravi che sono capaci di sollevare i coperchi delle pentole e tirare su il manzo che ci sta dentro. Intanto continuano a pisciare nei limoni di madama Bergero e ogni volta lei dice: *a l'è 'n'onta*, adesso basta, vado a chiamare i regi carabinieri (anzi, dice: cacabignè, compiacendosi del motto di spirito inventato da lei medesima). Tutti quei gatti *i veronesi d'la forca* se li devono tenere in casa, guardarli a vista, perfino annegarli, se si comportano da barabba. Poi i gatti sono cominciati a sparire. Cosí tanti e dello stesso colore, a furia di accoppiarsi tra di loro, che nessuno li distingue piú. Hanno sospettato il postino Rainero che porta una lunga cicatrice sulla guancia sinistra, e gira sempre con un grosso sacco di iuta con su scritto «Regie Poste» anche quando ha già fatto tutte le consegne.

Di Rainero si dice che da giovane è stato nell'esercito a combattere i briganti in Calabria, e che a uno di quelli gli ha staccato la testa e se l'è portata a casa per ricordo. Al capitano la cosa non ha fatto impressione, perché fanno cosí anche i suoi dayachi, i quali combattono solo per portarsi a casa la testa dei nemici uccisi. Nessuno s'è preoccupato di cercare prove della colpevolezza del postino. I gatti del cavaliere rompono i coglioni a tutti anche quando non sono in calore.

A tavola, Aida si lamenta che la carne è arrivata a costare una lira al chilo, e lei deve andare sino in piazza Vittorio per trovarne che non sia stopposa, o marcia.

In piazza Vittorio ci va anche il capitano, dal libraio Borgnin che ha un banco di libri usati. Quando esce un libro nuovo, delle dieci copie che l'editore gli manda ne tiene due. Le altre le va a vendere a Borgnin. Se il volume costa tre lire e mezzo, Borgnin gliene paga due e mezzo e lo vende a tre. Condizioni di speciale favore, proprio perché è lui.

Il capitano teme quel momento della notte – di solito fra le quattro e le cinque – in cui il gonfiore della vescica lo spinge a scendere dal letto e cercare a tentoni il pitale nel comodino. Nella buona stagione si spinge sino al gabbiotto sul ballatoio, gli piace scaricare nella notte silenziosa le fragorose flatulenze dei suoi intestini. Ha imparato a riconoscere i condomini dalla voce dei loro peti. Già a partire da fine ottobre il freddo della notte che morde i polpacci lo fa rabbrividire di ripugnanza, come se nel breve tragitto gli toccasse attraversare un covo di bisce. Uscire da sotto le coperte è penoso. La stufa è spenta da un pezzo, a nulla serve rimandare il gesto dello strapparsi dalla nicchia di tepore.

Per non svegliarsi del tutto, maneggia il pitale a occhi chiusi. È una voce riconoscibile anche il crosciare del getto sul metallo. Fresco sposo, s'era intenerito al suono di quello di Aida, lo aveva definito «argentino». Lei aveva apprezzato al punto che quando le toccava scender di letto e lui ansioso, sentendola muovere, già la cercava con la mano, bisbigliava: *sta' bon, che vào in Argentina.*

Il sonno è difficile da riprendere. Si sente improvvisamente lucido e comincia a tessere l'intrigo della storia che sta scrivendo dal punto in cui l'ha lasciata la sera. Si ripete che non si è mai tanto ricchi d'immaginazione come in quell'intermezzo di dormiveglia, quando il pensiero trova magicamente una levità e una mobilità che neanche gli uccelli conoscono. Come se un altro io, piú leggero dell'aria, nascosto dentro di noi, ma molto piú intelligente, avesse finalmente la libera facoltà di parlare. Come succede ne *La maschera di ferro*: alla fine il vero re Luigi può togliersi la celata che gli nasconde il volto, cacciare il fratello usurpatore e riprendersi il regno da cui lo avevano spodestato. Il capitano infreddolito si era chiesto piú di una volta chi fosse quell'altro io che sapeva cose che lui non era in grado di pensare. Era arrivato al punto da desiderare gli incontri notturni con l'ospite misterioso, anche se al risveglio il sonno cosí a lungo interrotto gli lasciava per tutto il giorno il cerchio del mal di testa.

Il sonno non torna e il fegato è un grumo rovente che lo obbliga a dormire dalla parte del cuore. Soffocando la tosse nel grosso fazzoletto grigio che tiene sotto il guanciale, si mette all'ascolto di Aida. Mentre il sonno dei bambini è perfettamente silenzioso, il sonno del legno giovane, si diceva, da quando è aumentata di peso Aida è capace di cavare dalla gola ogni tipo di fischio e raschio e sibilo e schiocco, con improvvisi scoppi di piccole bolle, variando spesso ritmi e frequenze. Sembra una vaporiera che comincia a mettersi in pressione.

Aida ha una memoria ferrea anche per i sogni che fa. Alla mattina li squaderna al coniuge con abbondanza di dettagli. Presto si accorge che lui non sta a sentire, è sulle montagne del Riff, o nelle Filippine. Allora dice: Emilio di Ventimiglia, *bon viazo, a'sciào*.

Dall'accelerarsi del respiro notturno di Aida, dal suo incresparsi in modi sempre piú concitati, il capitano è in grado di indovinare che tipo di sogno sta facendo. Il piú delle volte sono sogni pieni di spavento, perché al loro culmine esce dalla bocca di Aida, che lui ha sempre pensato nata già adulta, lo stridio d'un giovane uccello ferito. Allora il capitano prende a massaggiarle lo stomaco con lenti movimenti circolari, cercando di dare leggerezza alle mani. Aida continua a ingrossarsi. Beve troppo, fa prediche a lui, però non si contiene lei per prima. Ha superato il quintale ma rifiuta di pesarsi. Eh ben, dice, i grassi sono rispettati. Grassezza è bellezza. Se uno è magro, o è *poarèto* o è *malà*.

Il massaggio dà i frutti sperati. Aida abbandona le angustie del sogno con un lungo sospiro di sollievo, si distende, allunga la mano sinistra, gli cerca l'apertura del pigiama e s'impossessa del pene abbandonato con una presa insieme risoluta e confidente, come fosse un amuleto. Solo allora il capitano si sforza di ritrovare il sonno. Pensa con disgusto alla luce che di lí a poco comincerà a filtrare dagli scuri socchiusi, all'ansimare del trenino per Chivasso che passa per il corso, al rotolio delle ruote dei carri dei lavandai che vanno in città.

Odia Grissinopoli, grigia come il fumo che fin dall'alba esala greve dalle ciminiere delle fabbriche di Vanchiglia, torcendosi in trecce unte e malate.

Gli inverni sono sempre piú lunghi. In qualche scatola ci deve essere la scheda che ha dedicato alle glaciazioni. Si propone di consultarla. Lui vuol sempre rendersi conto di tutto.

Deve anche ricordarsi di ordinare altro carbone. Il carbonaio non gli piace. Oltreché giovane, è irsuto, strabico, puzza d'aglio. Persino il suo carbone scadente puzza d'aglio. Come se non bastasse, si prende con Aida delle libertà, doppi sensi che lei sembra gradire.

Una volta le ha detto con rabbia che si sarebbe fatta infornare anche da un cammello. Lei gli ha tirato un piatto e gridato dietro:

– *Tasi, castrà!*

Dai quaderni di Angiolina

Maggio 1910

Stiamo finendo *Il bramino dell'Assam*. Avevo già notato che può passare in fretta dalla cupezza a un'allegria improvvisa. Negli ultimi libri si diverte a mettere i suoi eroi in situazioni da fine del mondo, ma ci sono anche lampi d'umorismo che prima non c'erano. Forse sono una memoria dei motteggi, degli scherzi veronesi che lui rievoca spesso con nostalgia. Per esempio Yanez, diventato imperatore e signore dell'Assam, vuole che il fedele Kammamuri lo chiami Altezza. Parla come gli aborriti inglesi, ma per celia. Gli è sempre piaciuto scherzare.

Il capitano fatica, arranca, si distrae, si alza dalla sedia, va alla finestra, poi a bere in cucina, traffica con le pipe, scatarra, maledice la cecità. Se gli suggerisco dei dialoghi, lascia fare. Si rianima solo nelle descrizioni. Si incanta da solo a descrivere i *bhajusa*, i formidabili bisonti indiani di forza prodigiosa, molto piú feroci di quelli americani che si lasciano massacrare a centinaia come dei balenghi. Invece quelli corrono veloci come cavalli, sono astuti e crudeli, caricano in gruppo, pronti a sventrare il povero indiano che si trova sul loro passaggio.

– Scrivi, Saturnina: ... *Producono delle ferite spaventevoli, e piú volte si sono trovati, nelle foreste indiane, dei disgraziati col ventre aperto fino alla bocca dello stomaco, con un colpo preciso.*

Devo aver fatto una faccia strana, perché ha detto:

– Ti fa impressione?

Non ho potuto dirgli che il dettaglio chirurgico e preciso

mi aveva messo i brividi, come una premonizione. Talvolta le premonizioni ci volano addosso come pipistrelli, e noi ci proteggiamo la testa col braccio, le scacciamo, o aspettiamo che fuggano via, con le loro traiettorie bizzarre. Ci diciamo che sono superstizioni, che non bisogna crederci. Ci fidiamo della nostra ragione, come se non sapessimo che non riesce a volare lontano. Proprio come la macchina volante del signor Delagrange, che cercava di sollevarsi goffamente dai prati di piazza d'Armi e ogni volta ricadeva sulle sue povere ruote rachitiche.

Dalle premonizioni mi distrae la voce del capitano, sempre piú cavernosa, impastata di fumo e marsala:

– Dov'è finita la mia scrittura che correva cosí in fretta? Adesso mi vengono fuori pagine di legno che non vanno avanti. Giro intorno a ogni parola come se la vedessi la prima volta e non sapessi bene cosa vuol dire, come se fosse croata o slovena. Le mie parole si sono prese l'artrosi. Sono piene di dolori anche loro.

Quando il capitano parla cosí lo porto a camminare sull'argine. Cammina e spesso piange in silenzio. Per non imbarazzarlo vado a bagnarmi i piedi nel fiume. Quando torno lui ha già acceso una sigaretta. Dice:

– Passato, – e cerca di sorridere.

Allo sferisterio con De Amicis

Al funerale di De Amicis non era andato. Era morto a Bordighera ma l'avevano portato a Torino. C'era andato il signor Domenico Perasso che ha una lavanderia moderna a Bertolla, nei prati dove la Dora finisce nel Po, in mezzo agli orti, dove lui va a passeggiare. Tornando indietro, Perasso si era fermato in corso Casale per parlargli commosso di un immenso concorso di popolo, cosí disse, e tante bandiere socialiste abbrunate.

Con Perasso, che era un padrone ma aveva cuore e dava buone paghe, anche se dicevano che di lavandaie giovani non se ne faceva scappare nemmeno una, il capitano non voleva discutere, ma socialista il De Amicis, poi! Comodo fare i socialisti da ricchi e sentirsi la coscienza in pace distribuendo buone parole che non costano niente! Le tirate edificanti dei suoi compagni di fede non potevano che produrre degli anarchici, dei senza dio, degli assassini! Quando il signor Perasso gli aveva dato la notizia del decesso, al cavaliere era sfuggito una specie di singulto strozzato, che l'altro aveva scambiato per un segno di partecipazione, quanto meno di solidarietà corporativa. «È morto, finalmente!», era scappato di pensare al cavaliere. Aveva sorriso tra sé della citazione manzoniana. Stava diventando gramo come la merda d'un cacabignè a cavallo, avrebbe detto madama Bergero. Si era vergognato.

Non era un invidioso, ma lui De Amicis faticava a farselo piacere. Bravo era bravo, niente da dire. Un letterato d'alto bordo, non come lui. Ma quel suo sentimentalume, le pose da educatore buono che sa sempre cosa bisogna fare e non fare, i predicozzi moraleggianti, i ricatti emotivi – se vogliamo dire le cose con onestà –, i personaggi falsi, i buoni troppo buoni e i cattivi troppo cattivi, vere caricature, gli uni e gli altri, come se non si sapesse che in ogni uomo il buono e il cattivo sono mescolati insieme! Per non dire del campionario degli sventurati con cui si era arricchito: il muratorino moribondo, e il maestro che muore di stenti, Robetti ferito del lavoro, i bambini ciechi e quelli rachitici, la mutina, il ragazzo con un braccio morto e quello che perde un piede sotto l'omnibus per salvare un compagno, e Nelli che ha «quella disgrazia d'esser gobbo», lo spazzacamino, Precossi che beve perché è disoccupato, la faccia torva, i capelli sugli occhi, il berretto di traverso! Ma che casso poteva fare d'altro, Precossi?

In due mesi e mezzo dall'uscita, *Cuore* aveva collezionato quarantuno edizioni, quarantuno, cristosanto! Glielo aveva detto il suo amico Borgnin. E vendeva mille copie al giorno. Il Regio Provveditore agli studi comm. Gioda aveva detto che il libro era in tutte le scuole, in mano a tutti i ragazzi e a tutti i maestri! Sí, bravi, per farne dei servi, degli schiavi perfetti! Giovanni Cena, fondatore di asili nell'Agro Romano, aveva scritto che «forse i deboli non si fortificano leggendo il *Cuore*, ma i forti diventano generosi». Gran fatica diventare generoso quando già sei forte! Il punto era un altro: il De Amicis stava allevando una generazione di piagnoni, di piccoli fantasmi lacrimanti. Compiaceva un pubblico che credeva di mettersi la coscienza a posto perché si sentiva buono e faceva un po' d'elemosina.

Aveva riso, Emilio, quando aveva saputo del terremoto che l'anno dopo il successo di *Cuore* aveva scosso Torino, e proprio il quartiere e la casa dove lui abitava in via Cibrario, come se gli dèi inferi avessero voluto significargli la loro riprovazione. Se l'era immaginato correre a precipizio

in strada in veste da notte e ciabatte, la papalina in testa e
i riccioloni scomposti, nemmeno il tempo d'accendere una
candela. L'unica cosa che si sentiva di condividere con De
Amicis era la passione per lo sport: la ginnastica, l'alpini-
smo, la bicicletta, di cui l'Edmondo si dichiarava cultore
provetto. L'avrebbe sfidato volentieri ad una corsa in velocipede, sicuro di dargli la polvere; ma aveva apprezzato
il suo racconto lungo, *Amore e ginnastica*: la maestra Pe-
dani gli era sembrata un bel personaggio, viva nel suo essere moderna senza pose, un po' virago, ma solida, vera.

A onore del De Amicis si poteva anche dire che non era
un salottiero; non piú, da quando s'era fatto socialista. Gli
invidiava il viaggio per mare da Genova a Montevideo,
sulla nave degli emigranti, quello sí. Ci aveva cavato un
libro scritto bene, con un sentimento vero. Erano belle
anche le descrizioni del mare, lui ci aveva preso qualche
immagine, qualche suggestione. È normale che sia cosí,
tra scrittori ci si aiuta l'un l'altro, è come cucire una coperta tutti insieme, a stare a fare il conto dei prestiti non
si finirebbe piú.

*... Belle onde allegre, che venivan su morbide e lucide di
cento sfumature verdi e azzurre di cristallo, di velluto, di raso, sormontate di ciuffi e di pennacchi d'argento e di criniere
bianche arricciate, e di mille piccole iridi brillanti a traverso
a un polverio finissimo di gocciole, su cui si levavano qua e là
degli spruzzi candidi altissimi, che eran come le grida di gioia
di quella folla danzante al sole, sotto le carezze dell'aliseo.*

Lo vedeva ogni tanto allo sferisterio di via Napione,
perché era anche lui un appassionato del pallone elastico,
disciplina che richiede qualità che il capitano, modesta-
mente, riteneva di possedere in abbondanza: l'agilità dello
schermidore, la forza del pugile, la resistenza alla fatica, la
spericolatezza dell'acrobata, il coraggio. Si sentiva di poter
giocare in ogni ruolo, battitore, spalla o terzino. A parte

il fatto che ci sono campioni che guadagnano anche 1500 lire al mese: piú di Giolitti.

Il De Amicis arrivava allo sferisterio con un gruppetto di sodali che gli facevano corona e invece di interessarsi alla partita s'interessavano ai suoi commenti e imitavano il suo modo di applaudire ed esclamare «oh! che colpo maramaldo!» A fine partita poteva anche capitare che certi giocatori, ancora accaldati, andassero a salutarlo e prendersi complimenti. Lui non osava avvicinarsi, tanto meno salutarlo. Figurarsi se il gran letterato si sarebbe degnato di scambiare qualche parola con lui, modesto badilante della penna.

Tornando lentamente a casa, si ripeteva i versi piú pensosi della famosa ode leopardiana: «Altro che gioco | Son l'opre de' mortali? Ed è men vano | Della menzogna il vero? A noi di lieti | Inganni e di felici ombre soccorse | Natura stessa». Aveva smesso di frequentare lo sferisterio proprio il giorno in cui s'era accorto di non avere piú memoria di lieti inganni e di felici ombre. Quanto a verità e menzogna, aveva sempre saputo che si equivalevano in vanità.

Dieci anni dopo l'isteria collettiva per quel libro zuccheroso e ipocrita come lo possono essere i borghesi quando parlano del popolo, il figlio primogenito di Edmondo si era tolto la vita su una panchina del Valentino, tirandosi un colpo di pistola in testa: dicevano per un esame d'anatomia che non aveva avuto il coraggio d'affrontare, o dove l'avevano bocciato. Altri dicevano perché schiacciato da una madre bisbetica cui non osava opporsi.

Il capitano ne era rimasto colpito come di un lutto suo. Era appena nato Romero, il terzo figlio. Gli aveva dato il nome esotico dell'avventuriero un po' canaglia protagonista de *Le stragi delle Filippine*, come per favorirgli una carriera trionfale di spadaccino, di marinaio, d'esploratore.

Dopo quella morte s'era sorpreso a sostare piú di una volta accanto alla culla come non gli era capitato prima, nemmeno per Fathima, la primogenita. Spiava il volto del neonato per decifrare i segni che potevano annunciare il suo destino. Era una vecchia idea cui non aveva mai rinunciato. Per questo gli andavano a genio le teorie del Lombroso, su cui si dichiarava d'accordo. Vi sono facce parlanti che dicono tutto, non c'è parola che possa mascherarle. Tutto è già scritto, dalla notte dei tempi, anche sui tratti del nostro volto, nella conformazione delle nostre ossa. Basta guardare, sapere, capire. I segni di quel che siamo sono cosí chiari! Diventano evidenti con la crescita, ma sono visibili anche prima, persino in quegli involti di piume e fiordilatte, nelle minuscole labbra contorte dal pianto, nel taglio degli occhi, nell'attaccatura dei capelli, nella prominenza delle bozze frontali. Non c'era bisogno dei compassi e delle misurazioni del professor Lombroso, che tra l'altro era veronese anche lui.

Siamo segnati, tutti.

Scrutando Romero il capitano si chiedeva quando e perché i figli possono scartare dal tracciato che i padri hanno sognato per loro, e diventare altro dalle aspettative riposte su di loro. Non ci aveva pensato, prima. Adesso provava conforto a guardare il bambino che succhiava il seno materno con una placidità soddisfatta. Una sera d'umore cupo – l'editore Donath era stato piú sgradevole del solito, il trasloco si era già confermato per quel che era, una mossa avventata – lo aveva bruscamente allontanato da quel seno e ci si era attaccato lui, mordicchiando la mora color lampone del capezzolo.

– *El me petesín, el me petesín*, – mormorava di tenerezza. Alle mammelle di Aida aveva dedicato un intero serto di immagini fiorite. Le aveva battezzate *caramèle*, *quàge*, *panadèle*.

– *Cossa ti fai, mona*, – l'aveva apostrofato Aida sorpresa, ma gli aveva preso la testa e se l'era schiacciata al petto. *Te sí 'na suca piena de nuvole frite*, gli aveva poi detto staccandolo per riprendere il neonato che già piangeva.

Delle fortune dell'Edmondo al capitano non importava piú nulla. Nei suoi confronti avvertiva anzi una confusa solidarietà venata d'allarme e spavento, come se intuisse che prove tremende si stavano già apparecchiando anche per lui: malgrado il bambino, o forse proprio per quello. Adesso era il De Amicis che doveva dolorosamente invidiare lui per i quattro figli che Aida aveva nutrito con le sue colombelle.

Si chiedeva con che occhi suo padre avesse guardato lui bambino. Per quanti sforzi facesse, non aveva memoria di sguardi paterni. Era cresciuto a Negrar, dove l'avevano dato a balia da quelli che lui chiamava zia Maddalena e zio Geppe, nella grande cascina polverosa dalla corte quadrata tra le vigne e i salici, che era come un paese. Poi c'era tornato d'estate, con gioia.

Dei filò nelle stalle o sull'aia gli piacevano soprattutto le storie di streghe e fantasmi, le magie e i sortilegi, gli uomini mutati in animali e viceversa. Zio Geppe sapeva molte storie, ma lui si faceva raccontare sempre le stesse, perché aveva scoperto che ogni volta zio Geppe ci aggiungeva nuovi particolari. A zio Geppe confidava che parlava con gli animali, e riferiva i loro discorsi. Perché gli animali parlano anche loro, con le lingue raspose, con il modo in cui muovono code, occhi, orecchie, baffi, zampe. Zio Geppe ogni volta diceva che ne era convinto anche lui.

Nella cascina di Negrar il mondo si configurava come una continua mutazione, una fermentazione che bisognava saper assecondare. A lui piaceva l'odore caldo del letame, il dolciastro gassoso dei mosti lo inebriava. La sua carriera di bevitore era cominciata lí, in mezzo ai tini, dove gironzolava fino a notte, fino a quando venivano a cercarlo. Mai si sarebbe rassegnato a rinchiudersi nel negozio di stoffe e tessuti dove suo padre viveva rannicchiato sulla poltroncina da cui faticava a staccarsi anche quando entrava una cliente, e per prima cosa le snocciolava i sin-

tomi della malattia mortale che di lí a poche ore – a sentir
lui – se lo sarebbe portato via. Mai avrebbe fatto il mestiere dei nonni, titolari della stimata trattoria Ortolan in
vicoletto Leoni, a mescere vino e lavare piatti. Una delle
poche cose che aveva sentito dire a suo padre era che da
quando gli austriaci se ne erano andati nel '66 l'industria
e il commercio erano andati a ramengo, osterie comprese.
S'erano dimagrati persino i bordelli, non ci venivano piú
quelle belle troie bianche e rosse d'una volta.

Ogni giorno suo padre si scopriva una malattia incu-
rabile. La santa donna di sua moglie cercava di sorriderci
sopra, trattandolo con dolcezza, da bambino malato. Gli
uomini, si sa, son tutti delle piaghe. Ma nell'89 una me-
ningite fulminante se l'era portata via in due giorni, che
aveva passato da poco i quaranta.

A suo padre era sembrato un segno del destino, quello
che confusamente attendeva.

Una notte di novembre era uscito dal letto in camicia e
s'era gettato dal terzo piano del vicolo Pozzo San Marco.

Aveva imparato a nuotare nei fossi, in mezzo alle rane,
alle bisce e ai gamberi. Quando i temporali li ingrossava-
no, voleva navigarli saltando dentro una brenta da buca-
to o costruendosi delle zattere con quattro assi, convinto
d'arrivare fino in Adige. Dai naufragi l'aveva salvato piú
d'una volta zio Geppe, avvisato dai figli dei contadini che
gli correvano dietro sugli argini in mezzo a nuvole di zan-
zare, saltando e gridando come indemoniati.

L'Emilio organizzava bande di Greci e Troiani che
scendevano a battaglia in mezzo alle baracche e ai pollai,
le mura di Ilio, con spade di legno e coperchi delle pentole
usati come scudi. Lui era il capo dei Troiani. Tutti volevano stare con lui. I Greci invasori erano detestati, come
adesso gli inglesi e i francesi colonialisti.

I Troiani vincevano sempre.

Tra quelli delle bande c'era anche una bambina magra con le treccine e gli occhi dei passeri che si chiamava Maria Negrini. Era quella che correva dietro al gruppo stando sempre un po' in disparte, ma senza perdere un gesto di quello che capitava. Solo quando c'era da giocare al dottore in mezzo ai sambuchi Maria Negrini faceva di no con la testa e scappava. Non erano mai riusciti a tirarle giú le mutandine. A quindici anni s'era fatta suora ed era partita per il Sudan a catechizzare i negretti con altre suorine di monsignor Comboni proprio nel bel mezzo della rivolta dei dervisci, che solo a nominarli davano l'idea di qualcosa di sporco, pericoloso e viscido. Va bene che con lei c'erano anche suor Maria, suor Mafalda, suor Eulalia e tante altre, ma il fatto che l'intera Verona pregasse fervidamente per loro non le aveva preservate dalle offese del Male.

I ribelli del ferocissimo Mahdi avevano preso anche lei. Di sicuro le avevano fatto cose brutte che tutti immaginavano ma nessuno osava dire. I ribelli stavano a gridarle per giorni che doveva farsi mussulmana, lei aveva finito per imparare qualche parola di arabo. Un giorno avevano detto che le tagliavano la testa, fortuna che il Mahdi aveva cambiato idea, forse perché uccidere una donna bianca gli sembrava uno spreco.

Maria Negrini ai selvaggi nemmeno rispondeva, teneva gli occhi fissi davanti a sé, pregava senza muovere le labbra. Con tutte le immaginette che aveva collezionato e le storie di santi che le avevano letto a Negrar, pensava che il martirio fosse una cerimonia pulita come la prima comunione e la santa cresima, avvolta in un'aria di perla, con raggi di luce che piovono dal cielo, e la colomba dello Spirito Santo con le ali spiegate che guarda in giú e approva in silenzio. Nel Sudan invece il martirio era sole accecante e polvere rossa, piscio di cammello, escrementi secchi, sudore acido, urla rauche, bocche sgangherate, oc-

chi iniettati di sangue. *'Na becaría, peggio di quando i copa
el porsél in te la corte.*

Lui la Maria Negrini, con tutto che era uno stecco vestito, l'aveva invidiata. La *butèla* rachitica aveva avuto il
coraggio di andarci per davvero, fra i selvaggi. A quindici
anni e con tutto che non aveva letto che catechismo e ab-
becedario sapeva già la vita che voleva, altro che navigar
canali dentro una brenta. Lei gli occhi sui libri non aveva
avuto bisogno di consumarli. Il Mahdi tagliatore di teste
l'aveva visto in faccia, ci aveva parlato. L'Africa le girava
per il sangue tranquilla come un respiro, la riempiva tutta, come la Fede, la Grazia. Riconosceva nelle immensità
dell'Africa la grandezza del Creatore. Non aveva dovuto
immaginarsi niente. Per questo quando era tornata a casa
dopo tanti anni anche se non si poteva piú riconoscere da
tanto che era nera, si capiva che era contenta, che nella
sua piccola testa tutto aveva un senso e uno scopo, anche
i martíri delle suorine, anche i bruti puzzolenti piú crudeli delle iene.

Dai quaderni di Angiolina

Giugno 1910

Ci sono giorni – quando per esempio arriva il mensile dell'editore Bemporad – che il capitano può diventare un torrente in piena:

– Io l'avevo detto a sua madre quando la Maria è partita nell'85 che prima o dopo i sudanesi l'avrebbero presa prigioniera, ma era un po' per scherzo, per scaramanzia, magari da prigionieri si corre meno rischi che star liberi nella savana, e poi i prigionieri si scambiano come le figurine Liebig, gli inglesi son lí per quello. Non so perché a Verona hanno la mania dell'Africa e delle missioni, cara Superina...

Mi ha cambiato nome. Da Saturnina sono diventata Superina. Ma mi va bene cosí.

– ... Forse perché quelli di Venezia hanno viaggiato e visto l'Oriente e l'Africa con i loro occhi, e noi invece dobbiamo immaginarli, abbonarci al «Giornale dei viaggi». Ma a Verona *se ti vol far schèi* basta prendere due stanze e metterci dentro un gabinetto di figure di cera con scene celebri, per esempio Carlotta Corday che accoltella Marat nella vasca da bagno, purché la ferita si veda bene e butti molto sangue, e Marat abbia la lingua e gli occhi di fuori. Meglio ancora gli animali imbalsamati, che però siano strani, orche marine, facoceri, bradipi, tapiri, i *Birgus latro* che sono dei grossi granchi golosi di noci di cocco, o il *kagú*, il gallo dal becco rosso, o l'*hariman-huntang*, la splendida pantera di Sonda. Una volta per pochi soldi potevi vedere perfino una Squimese autentica, però costumata, *no mía cativa*, che mostrava i ramponi con cui loro cacciano le foche e gli orsi. Ci sono signori a Verona che tengono in casa tigri e leoni, si capisce dal puzzo ferino che mandano in giro quando c'è vento, e allora è come stare in Abissinia. A Verona siamo tutti esploratori, chi ci ha i *schèi*, beninteso. I missionari in testa a tutti, *omeni co' i maroni* come don Bonomi che è riuscito a scappare dalle prigioni del Mahdi, e sembra un mulatto dal sole che ha preso, fisico da viaggiatore, muscoli d'acciaio. Oppure quel povero Giacomo Bove che aveva tanto viaggiato e *el s'à tirà un colpo* a trentacinque anni, sotto un gelso, vicino alla villa del conte Pellegrini, dopo aver appeso per bene il cappello bianco a un ramo, un macello, che è toccato a me fare la cronaca e poi confortare la vedova. E chi non viaggia può collezionare lo stesso pezzi rari. Al conte Miniscalchi, per esempio, avevano regalato un *akkà*, un selvaggio moretto delle grandi foreste del Sudan, dono dell'esploratore Miani a Re Vittorio che lo aveva ceduto alla Società Geografica, che a sua volta l'aveva mandato dal conte, che già possedeva un cieco egiziano comperato al mercato degli schiavi. Forse anche quelli del circo singalese e Buffalo Bill sono venuti a Verona perché gli hanno detto che siamo ghiotti di cose esotiche. Li ricordo bene, i singalesi, trenta selvaggi adoratori di Budda provenienti dall'isola di Ceylan, dove si vuole fosse la sede del Paradiso terrestre, la casa d'Eva peccatrice. Sono andato ad accoglierli al treno. Piccoli ma snelli, flessuosi, anche belli per via delle movenze feline, la pelle nerastra, i capelli lucenti annodati in trecce sulla nuca, occhi magnifici, mobilissimi, bocca grande, labbra carnose, denti sfolgoranti. Puzzavano un po' di selvatico, ma c'ero abituato. Le donne avevano al collo le stupende perle che si pescano nella famosa baia di Condatsci. Dovevano far vedere come costruiscono le loro capanne con l'aiuto di elefanti e zebú, dar un saggio dei loro costumi, canti e danze. Cantavano la stessa canzone che avevo udito la sera sotto il vecchio forte olandese di Colombo, la

capitale singalese, e nella Pattah, la città cosí detta negra.
Cantavano la leggenda del Re Ravanen, che aveva regna-
to a Ceylan migliaia di anni fa, se ben ricordo, poi per superbia aveva offeso gli dèi e allora Visnú l'aveva atterrato. Sono andato a prendere al treno anche la compagnia
di Buffalo Bill. C'erano i vaqueros messicani, i cowboys
con le braghe di cuoio e il fazzoletto al collo come i nostri
contadini, i Sioux, gli Arapaho, gli Oglala, i Piedi Neri.
C'era anche Orso delle Rocce, nipote di Mano Gialla che
Buffalo Bill aveva ucciso in duello, e adesso *el stava là bon
'n tel circo, e nol ghe l'avea mia con lú.* Però non belli come
i singalesi, anzi gialli, smunti, e d'altra parte son diventati
dei poveri beoni che si istupidiscono di liquori e poi batto-
no le loro donne, è con l'alcol che li hanno fatti schiavi, ci
vuole la faccia di culo di Buffalo Bill per farne spettacolo.
Loro viaggiano in terza. Dalla carrozza di prima è scesa invece miss Annie Oakley, l'amazzone leggendaria che fa il
tiro a segno con la carabina mentre galoppa sul suo cavallo bianco. E naturalmente il colonnello, bell'uomo, alto,
imponente, muscoloso, con il pizzo e lunghi capelli. Ma
lo spettacolo, una pena da stringere il cuore. Nulla di feroce nei volti dei pellerossa quando sono usciti fuori tutti
insieme, niente di efferato, di spaventevole nelle grida di
guerra che un tempo incutevano terrore ai pionieri. *No i
sigàva mía, i parèa che i g'avesse el mal de pansa.* E anche le
acconciature, sottanine stinte, verdoline, casacche e bra-
gasse troppo larghe, in testa piume di gallina. *Fiàpi anca i
caobòi,* i nostri vaccari *i è assé omeni.* I bisonti, poi! Come pecore. Anche a Roma la sfida tra i cowboys e i butteri
maremmani l'hanno vinta i nostri, già prima di cominciare si era capito come sarebbe andata a finire. L'Arena a
Buffalo Bill gli è andata stretta, non ha potuto far costruire i villaggi di frontiera che voleva, né far correre i carri
degli emigranti, come nelle altre città. C'è stato posto solo
per la scena dell'attacco alla diligenza postale, dove sono
salito io con un collega: ci hanno imbarcato su una vecchia

corriera mezzo sventrata e bucata dalle pallottole, tirata
da sei muli del Texas, quelli sí molto belli; è cominciato
l'assalto, e siamo rimasti assordati, noi cronisti, dai colpi di fucile e pistola e carabina che gli indiani ci tiravano.
Abbiamo avuto le ossa rotte dai sobbalzi della diligenza
che stava per rovesciarsi. Lo spettacolo siamo stati noi, *sacranón*! Questo per dirti, Superina, che spesso le cose viste
al naturale sono deludenti. I pellerossa, i singalesi, persino il marahajà di Lahore che ho intervistato alla stazione,
sembrano vecchio ciarpame trovato in soffitta, manichini
impolverati, l'aria consumata che hanno le cose in uso al
pubblico. Guarda i miei indiani, i miei malesi, i miei pirati,
i predoni del Riff, i costumi dei miei personaggi, invece!
Puoi scoprire da te la differenza! *No ghè mía polvar, tuto
che slúsega!* Meglio di un quadro, delle films!

La visita

Alla bocciofila di Sassi il capitano era entrato in una certa dimestichezza con il signor Trabucco Augusto titolare di un negozio di ferramenta in piazza Borromini, proprio dietro l'edificio del dazio. Dopo un po' di bottiglie di freisa di Chieri avevano fraternizzato. Il rombo molesto di un autocarro di passaggio aveva portato il discorso sulle automobili.

Il capitano raccontava di quando anni prima aveva avuto in via Po quella che lui chiama un'apparizione. Aveva visto arrivare – spetazzante come un fuoco di castagnette – una Fiat 4 HP nera con filettature in oro. Sui divani capitonné di colore bordeaux erano adagiati, si sarebbe detto senza peso, due passeggeri che sembravano ritagliati nella carta colorata. Il conducente, in casco di cuoio e occhiali, stava attillato in giacca bianca e pantaloni blu come il comandante di una nave; calzava guanti sottili con i quali stringeva con noncuranza il volante. Al suo fianco, avvolta in un abito vaporoso cinto in vita da una sciarpa turchese, una dama che con la mano sinistra si reggeva al mancorrente esterno e con la destra proteggeva il gran cappello di paglia. Sembrava spaventata ma cercava di sorridere.

Appena ripresosi dal fracasso disgustoso prodotto dal marchingegno rotolante, il capitano aveva elaborato l'idea di un romanzo la cui eroina era una guidatrice. Una donna moderna, disinvolta, coraggiosa, sprezzante del pericolo. Americana, dunque. Gli venne spontaneo il nome: Ellen Perkins. Molte volte trovava i nomi che gli servivano belli

e pronti sugli atlanti. Se mandavano un bel suono – lui diceva d'aver sviluppato un orecchio infallibile – se li prendeva o li adattava, come prendere frutta negli orti senza
far danno a nessuno. Poteva anche capitare che affiorasse-
ro da soli da chissà quale profondità. Non aveva memoria
di letture o chiacchiere in cui comparisse il nome di Ellen
Perkins. Eppure era lí pronto. Nessun altro nome era migliore di Ellen Perkins. Anzi, lui era già un po' infatuato
di questa Ellen Perkins.

Lavorò ad altri libri, ai racconti, aveva la rivista «Per
terra e per mare» da mandare avanti, passarono anni. Un
giorno Ellen Perkins era ricomparsa, chiedeva l'avventura per cui si sentiva pronta. Il capitano capí che era arrivato il momento di documentarsi, conformemente alle
sue abitudini. Ne sapeva poco e non aveva tanta voglia di
informarsi, ma per spiccare il salto la sua fantasia aveva
bisogno del solido appoggio del vero. Com'erano organiz-
zate le fabbriche da cui uscivano i portenti di cui tanto si
parlava? Chi erano gli uomini che li costruivano? A quali
prestazioni potevano arrivare in un futuro prossimo?

Reso euforico da una bocciata magistrale che gli aveva
appena fatto vincere una partita, il signor Trabucco s'era
dichiarato disposto a guidare il cavaliere in una visita a uno
dei piú importanti stabilimenti che sorgevano in città. Era
buon amico di un caposquadra della Diatto che era anche
un suo cliente; e poi chiunque si sarebbe sentito onorato
di accogliere in officina il noto scrittore. Dunque la cosa
poteva essere combinata senza difficoltà. Il cavaliere disse
che lui aveva già visto fabbriche del genere in America, ma
acconsentiva volentieri, «per vedere le differenze, perché
si sa che gli americani sono piú avanti in tutto».

Non potendo incantare il nuovo amico con la tecnica,
il signor Trabucco s'infervorò a raccontare la storia della
Diatto. Dunque i fratelli Pietro e Vittorio Diatto erano
due piemontesi che piú *gorègn* e *difisiús* non si poteva. Avevano un'impresa di costruzioni meccaniche e ferroviarie

e tramviarie, lavoravano da dio pezzi in ghisa, bronzo e alluminio, molle, cilindri in lega speciale. Guadagnavano bene. Di costruire automobili da principio non pensavano, però si erano comperati una Ceirano per vedere com'era fatta, e subito avevano capito che non andava bene, ma proprio niente bene. A muso duro avevano detto ai fabbricanti che quel catafalco lo restituivano e volevano indietro i soldi. I Ceirano, quattro fratelli anch'essi strambi la loro parte, avevano risposto che no. Erano andati in tribunale, e il tribunale ci aveva dato ragione: ai Diatto, voleva dire. C'era su tutti i giornali. Non l'aveva letto?

Il cavaliere fece un segno per dire che aveva altro da fare che star dietro alle paturnie dei Diatto.

I Diatto erano stati qualche anno a rodersi su 'sta cosa, ci avevano ripensato e avevano aperto una fabbrica prendendosi dei soci francesi che nel campo la sapevano lunga, però loro ci mettevano questo fatto di essere dei pistini e degli incontentabili. I risultati si sono visti subito. Già nel '06 hanno vinto la Milano-Sanremo, poi si sono classificati primi in vari concorsi tedeschi e svizzeri, stabilendo anche il record di consumo alla Coppa di Cannes, ben dieci litri per cento chilometri. Insomma i Diatto ce l'avevano lungo cosí.

Al capitano tutte queste virtú e capacità cominciavano a dare il nervoso.

Come se non bastasse, il signor Trabucco s'era messo a raccontare anche il romanzo dei Ceirano, che sono quattro e la cosa che ci piace di piú è aprire nuove fabbriche, poi venderle e poi aprirne delle altre e farsi concorrenza tra di loro. Degli zingari, dei nomadi. Avevano venduto una fabbrica appena impiantata al signor Agnelli, parlavano di trentamila lire, che è meno che niente, cosí poco che anche loro due potevano mettersi in società e costruire automobili.

Il capitano disse che lui per l'industria non si sentiva portato: già trovava difficile amministrare il poco che guadagnava.

La discussione proseguí in tram. Il capitano tenne a
manifestare un certo scetticismo:

– Certo che ce ne sono proprio tanti, in giro, di 'sti
stregoni dell'automobile. In ogni cortile, dove prima fab-
bricavano carri e biciclette, adesso si sono messi in testa
di fare fortuna con le automobili, sembra la corsa all'oro
dell'Alaska ma si romperanno la testa, se non stanno in
piota. A parte il disturbo e gli incidenti che fanno, perché
i buoni freni non li hanno ancora inventati, chi se li può
permettere questi gingilli? Che solo di tasse e di multe si
spende un patrimonio?

Il signor Trabucco alzò un sopracciglio:

– Via, capitano, non mi dica che con quello che guadagna uno scrittore famoso come lei, che la Regina gli manda
perfino le decorazioni, non si può permettere una Diatto, una Isotta Fraschini, perfino un'automobile francese e
portare a spasso tutta la famiglia, lei che sta in campagna.

– Allora che stia a sentire, io sono stato un campione di
velocipede in gioventú, avevo la casa piena di coppe, se è
per quello a me mi appassionano di piú le biciclette con il
motore, ce ne sono di bellissime, ne ho vista una nell'alma-
nacco del Touring, vanno piú forte delle automobili e danno piú ebbrezza, meglio che andare a cavallo, e si possono
anche manovrare piú facilmente, perché non so come si fa
a tenere in strada 'sti trabiccoli con quella specie di manu-
brio che funge da volante. Follia per follia, meglio fare il
centauro. Se va male *ti te copi ti* e non fai danno agli altri.

– Ammetto che si corrono pericoli, – consentiva il signor Trabucco. – Ma l'uomo ama il rischio.

– Non sono cose pratiche. Giusto per divertirsi un po',
capricci da ricchi, – tagliò corto il capitano.

– Una volta, – si inteneriva l'altro, – mi hanno fatto vedere quanti attrezzi devono stare nella cassetta delle ripa-
razioni, che è un vero baule con ogni bendidio della ferra-
glia che mi è venuta l'acquolina in bocca. Dunque c'erano
chiavi calibrate, piatte e a tubo, martello, varie tenagliet-

te, cacciaviti, tronchesine, dadi e coppiglie in quantità, imbuti per acqua, olio e benzina ognuno ben distinto da non fare confusione; oleatori, crick, pompa a pedale, viti e molle platinate, aghi per liberare i fori del *bruleur*, lime, lampade da saldatura con acido, maglie di catena, volano di pompa di ricambio con asse, grasso consistente, una latta di benzina e una di petrolio per i fanali, corda, stracci, spago, forbici, coltello, pece greca... – il signor Trabucco si stava esaltando, come se recitasse il *Cinque maggio* del Manzoni. – Senza dimenticare, badiamo bene, il densimetro per vedere se la benzina è abbastanza pura. Ah, meglio comunque portarsi dietro un bravo meccanico, che se resti per strada ti trovano dopo due mesi, – rise ancora.

– Ben gli sta con tutta la polvere che ci fanno mangiare, – disse il capitano. La faccenda della polvere gli riusciva insopportabile. Ogni giorno si registravano proteste popolari. – Quanto alla benzina, – rincarò, – ti ciulano lo stesso come vogliono. Come gli osti col vino. Le ha viste quante automobili ci sono con il cofano disquattato, e gente che ci fruga dentro senza capirci niente? L'automobilista è uno che ha tempo da perdere, può stare fermo anche giorni in attesa dei soccorsi, se viaggia fuori casa. Io non me lo potrei permettere. Non posso perdere neanche un minuto. Come dicono gli inglesi: *Time is money*, il tempo è denaro.

Il frastuono della Diatto si sentiva fin dal cancello. Il signor Trabucco andò a parlamentare con i guardiani, che lo mandarono dal capo-officina, che li affidò a un ingegnere che portava la bombetta come se andasse a passeggio. Furono introdotti nell'«officina delle scocche».

Scendevano dal soffitto, collegate a degli alberi dentati, delle lunghe pulegge che mettevano in moto dei macchinari in basso. A ogni macchinario c'era un operaio che stava attaccato alla macchina come la limatura del ferro alla calamita. In mezzo a loro passeggiavano dei signori anche loro in giacca, cravatta e cappello, un notes in mano.

Erano i controllori, apprese il capitano, stavano a misurare che ogni operaio facesse il suo dovere, e rispettasse i tempi stabiliti. Gli calcolavano anche il tempo dei bisogni.

Ma la cosa che stringeva il capitano alle viscere e lo ributtava indietro era il rumore che il capannone sprigionava: il *cling clang* delle pulegge che frustavano l'aria, il digrignare delle ruote dentate, il battere di presse e ganasce, i colpi ritmati di mazze e martelli, perfino il grattare delle lime, piú lontano. Un'orchestra di diavoli.

Aveva descritto molte battaglie, evocato il lugubre suono delle palle di cannone degli incrociatori inglesi, il crepitio delle mitraglie, delle spingarde e della moschetteria che devastano la tolda dei prahos, le trincee di Mompracem o gli spalti di Maracaibo, ma nulla poteva reggere il confronto con le frustate delle pulegge, con i rimbombi del metallo percosso, ora grevi, ora striduli. Lasciò andare avanti l'amico e l'ingegnere che parlottavano compiaciuti: la produzione annua era di 2700 vetture, si prevedeva di portarla a 4000.

Li seguiva a malincuore, cercando di non inciampare in certi banchetti mobili che ospitavano ogni genere d'attrezzi, e non imbrattare troppo il soprabito chiaro. Malgrado la vastità del capannone (parlavano di 250 operai), tutto puzzava di chiuso. Di prigione. Caserme, fabbriche, manicomi, scuole, quando si tratta di imprigionare i poveretti fanno gli edifici tutti uguali che si riconoscono subito. Era quella, la modernità? Un reclusorio universale?

L'aria sapeva di grasso, di metallo riscaldato. Alle nove di mattina il caldo già premeva ai finestroni. I moderni dannati sarebbero rimasti lí dieci ore, sabati compresi. Molti erano giovani e giovanissimi, non un pelo sul mento, si capiva che sotto la tuta le costole gli bucavano la pelle, gli occhi gli sporgevano dalle orbite, come fossero pesci di profondità. Quando lui non fosse piú riuscito a scrivere, quando anche il suo motore si fosse fermato, il destino di Omar e Nadir e Romero era quello di finire lí? Per questo le madri si squarciavano il ventre mettendo figli al mondo? Perché qualche riccone andasse a pavoneggiarsi in giro con il suo macchinone da 10 HP?

Provò l'impulso di scappare e si vergognò. Di lí a pochi minuti sarebbe tornato alla luce e al silenzio dei corsi alberati dove al massimo si sentiva lo zoccolio dei cavalli. Pensò a quando, a vent'anni, si sentiva intrappolato nella stanzetta afosa della redazione della «Nuova Arena», che adesso gli sembrava la reggia di un rajah, a scrivere note di politica estera. Sentiva il bisogno di andare fino a Po, a guardare dall'alto del ponte i canottieri che si allenano nella corrente placida del fiume, le magliette a righe bianche e rosse e la paglietta in testa. Spiava quei ragazzi prosciugati dalla fatica, i capelli incollati sulla fronte, le rughe del volto segnate da striature di fuliggine come i guerrieri pellerossa dalle pitture di guerra, sperando di non incrociare il loro sguardo.

Li sentí fratelli di uno stesso destino. Provò pena per loro, per sé. Era un operaio anche lui, un manovale della penna. Gli era risparmiato il frastuono dei macchinari, non l'ossessione di gesti sempre uguali: i dialoghi, gli assalti, i duelli, i cataloghi delle specie vegetali e animali che dovevano garantire al racconto un tocco d'esotismo e un certificato di verosimiglianza. Lui non montava pezzi di metallo, ma *baniàn*, *pombo*, *mamplàm*, casuarine, artocarpi, borassi, *mussenda*, paletuvieri, leoni, tigri, orsi, serpenti... La catena di montaggio era il destino che attendeva gli uomini del nuovo secolo. Era un condannato anche lui, cavaliere del Regno d'Italia perché dilettava istruendo i giovani.

Di ritorno, sul tram, mentre il signor Trabucco parlava di nuovi modelli piú comodi, con l'abitacolo chiuso, motori fino a 20 HP, nuovi ammortizzatori e velocità sino a sessanta all'ora, il capitano pensò che erano sacrifici umani, quelli che si facevano nelle fabbriche dei Diatto e dei Ceirano e degli altri, i sacrifici degli Aztechi e dei Maya:

nel chiuso di un capannone, invece che al sommo di una piramide, all'aria aperta.

Lui voleva morire all'aria aperta.

Disse che le automobili non sarebbero arrivate a fine secolo. Erano figlie di una tecnica troppo rozza. Una faccenda da selvaggi, ecco tutto, l'espressione di una civiltà volgare. La tecnica avrebbe trovato qualcosa di migliore, per trasportare gli uomini senza l'indecoroso fracasso, la puzza. Con l'elettricità per esempio. Sí, le automobili si sarebbero presto estinte, i Ceirano e i Diatto avrebbero dovuto rivolgere altrove il loro brillante ingegno di trafficoni.

Il signor Trabucco non gradí. Disse che non gli sembrava il modo di ringraziarlo della gita.

– Ma no, monssú Trabucco, cosa capisce, – cercò di rabbonirlo il capitano. – Tutto fa brodo, a me serve per inventarne di nuove. In questo sono come i raccoglitori di ferrivecchi. Vedrà, vedrà che galupperia le avventure della bella Ellen Perkins contesa da due gentiluomini sulla via dei ghiacci. Ho già pronto il titolo: *Una sfida al Polo*. Ci sarà uno sfoggio di invenzioni tecniche che il signor Marinetti, il bellimbusto futurista, si mangerà le dita.

Dai quaderni di Angiolina

Settembre 1910

Mi sono accorta che scrivo anche cose che lui non dice, ma immagino possa dire. Quando tace, vado avanti io con l'immaginazione. Vedo le persone e i luoghi, sento le parole. Completare i suoi racconti mi viene spontaneo, perché spesso si distrae, perde il filo, cambia discorso.

Da principio questo mi ha spaventato. Io non volevo rubargli niente e gli sto rubando tutto, persino quello che non ha. Mi sento ancora di piú disgiusta, forse i miei genitori avevano ragione di preoccuparsi. Ma dentro provo un'esultanza che cresce ogni giorno piú forte. Credo sia la stessa che prova lui inventando le sue storie. Come un pioniere, mi avventuro in territori sconosciuti, alla ricerca di emozioni. Il capitano che sto raccontando non è piú l'ometto avvolto nella nuvola di fumo che porto a passeggiare sull'argine, ogni giorno piú stanco, piú rassegnato. Si sta tramutando in un personaggio mio, al tempo stesso vero e inventato, al punto che nemmeno io saprei dire dove comincia l'uno e finisce l'altro. Posso fargli dire e fare cose che lui nemmeno immagina, con tutta la fantasia che ha. Quando ne saprò ancora di piú – quando riuscirò a tirare fuori da me anche quello che il capitano non sa di se stesso – sarò persino in grado di attribuirgli un futuro credibile. Potrò portare a compimento il suo destino.

È ciò che fa il burattinaio, il piú bel mestiere del mondo. È un fior di burattinaio anche lui, ha creato e giostrato migliaia di burattini. Adesso che è stanco e le sue dita non hanno piú l'agilità per tirare i fili con destrezza, il burattinaio sto diventando io, la pivella. Ogni giorno che passa lo sento un poco di piú in mio potere. Questo mi dà come una vertigine in cui si mescolano colpa e piacere. Mi sento il Capitano Nemo che porta la scatola di chinino e il sacerdote dei Thugs intento a riti sanguinari. Forse lo sto usando come fanno i Thugs con le vittime umane dei loro sacrifici. Ma non voglio il suo male. Al contrario. Voglio solo capire cosa passa per la sua testa rotonda. Capire il ragazzo che è stato e l'uomo che è adesso. Capire come la vita entra nella scrittura, e la scrittura nella vita.

Ho paura che la scrittura sia come certi giochi d'azzardo, cominci per scherzo e poi non puoi piú farne a meno. Lui sta nel gioco da trent'anni, si è intossicato. Il tavolino con le gambe smontabili è diventato la sua graticola e la sua tavola di salvezza, la sua catena e il suo praho. Come una falena, non sa allontanarsi dal cono di luce che la lampada da lavoro proietta sul tavolino. Da lí si staccherà solo per andare a morire.

A proposito di farfalle notturne, è stato lui stesso che l'altra sera – si era voluto fermare sotto una *tòpia* per bere un po' di freisa – s'è messo a descrivere il teschio giallo che sta disegnato sul dorso dell'*Acheronthia atropos*. Ha parlato del suono lugubre che emette per spaventare i nemici.

– Anche l'*Acheronthia* ruba, come tutti, – ha detto ancora guardandomi fisso. – Ruba il miele alle api.

Sono arrossita. Forse parlarmi di sé è anche un modo per allontanare da me la malattia della scrittura. Per mettermi in salvo, fin che è ancora possibile.

Manco si fossero messi d'accordo, sono stata aggredita anche da Aida. Nell'orto, mi ha stretto cosí forte che avrei potuto dire il vino che aveva bevuto. Con gli occhi strabici dalla vicinanza mi ha ingiunto di confessare la tresca con suo marito, mi ha detto *slandrona*, ha chiesto cosa mi faceva, quali servizi esigeva, lei lo conosceva bene, dove andavamo a copulare, cosí ha detto, forse nei prati, a casa mia, da vicini compiacenti, dal ristoratore che ha un'aria infingarda ma a lei non la fa mica.

Per fortuna mi è venuto da sorridere, l'ho abbracciata, l'ho carezzata, le ho detto che si stancava troppo, che era lei che doveva riposare, non solo il capitano. Quanto ai morosi, mi bastavano i danni fatti da quelli giovani, figurarsi gli altri. Allora ci siamo messe a parlar male dei maschi d'ogni età, del loro egoismo di profittatori ingrati, lei voleva raccontarmi vecchie storie di Verona che le erano capitate, ma mi sono congedata con la scusa delle faccende di casa, sono scappata via.

Ho notato che gli eroi del capitano non hanno un passato e non lo raccontano, se non i pochi fatti che servono a spiegare il loro comportamento presente: di solito gravi torti da riparare, tradimenti. Chissà se occultando il passato dei suoi personaggi il capitano mira a occultare il proprio. Chissà che cosa vuole nascondere, che non siano le ordinarie sconfitte che ogni uomo patisce. Giro intorno a questa domanda e non trovo risposte.

Con mio padre abbiamo fatto dei conti, mettendo insieme le cose che il capitano racconta, e la nota biografica dell'editore milanese, che chiaramente l'ha scritta lui. Il tempo per tutti questi viaggi di cui parla, il capitano non l'ha avuto, meno che mai i sette anni citati nella biografia. Appena tornato da Venezia, dall'Istituto Nautico, è andato a lavorare alla «Nuova Arena», mi pare nel 1882 o nell'83 al piú tardi. Come ha fatto a prendere il diploma con la scarsa voglia di studiare e le bocciature che ha avuto? I viaggi sono una burla nata dalla sua fertile mente, uno scherzo dei tanti che da giovane gli piaceva combinare? (Sembra che a Verona non pensino ad altro che a scherzarsi). Oppure si è sentito in obbligo di inventarsi la biografia che deve avere uno scrittore d'avventure e di viaggi, per rendere piú credibile quello che scrive? Eppure mette nelle cose che scrive e che racconta – a me, agli altri, a tutti – una tale sicurezza che riesce difficile pensa-

re che inventi. Anche le lettere continua a firmarle cosí:
«cap.», «cav.». Mi ha detto lui stesso che tiene alla qua-
lifica di capitano piú di quella di cavaliere.

Non è argomento che possa affrontare con lui, neanche per sbaglio. Racconta d'avere sfidato a duello un giornalista di Verona che aveva dubitato del suo brevetto, e
avergli spaccato il cranio. Se basta quello a scatenare in lui
una furia assassina, deve essere qualcosa di piú importante della sua stessa vita. Anche Aida parla dei suoi viaggi,
ma lo fa per dire tra i denti che da quelli s'è portato dietro
ogni genere di vizio e malattia, compreso il bere, e poi li
ha passati a lei. Possibile che non sia sincero nemmeno con
sua moglie? È rimasto prigioniero di una bugia cominciata
trent'anni fa? Si può arrivare a uccidere qualcuno per di-
fendere una bugia fino in fondo? Si può uccidere se stessi?

Poi ho capito che la questione è mal posta, che non ha
nessuna rilevanza. Provo a immaginare cosa risponderebbe
lui se avessi il coraggio (la stupidità) di fargli la domanda.

*Poniamo per ipotesi che io non abbia fatto i viaggi di cui
ho parlato e che non abbia visto con i miei occhi le cose che
ho descritto. Che importanza avrebbe? Ce n'è anche soltanto uno tra i milioni dei miei lettori che si è mai lamentato
delle mie descrizioni? Le ha trovate imprecise, poco suggesti-
ve, abborracciate alla peggio? Quello che conta sono i libri,
non i piccoli uomini che li scrivono; e qui sfido chiunque
a fare di meglio. Lo stesso Giulio Verne al mio confronto è
un pedante noioso con la fissa della scienza, ma lui viveva
a Parigi e scriveva in una lingua piú nota dell'italiano. La
differenza sta lí.*

*Nei libri che ho scritto ho messo tutto il sangue che avevo,
mi ci sono consumato gli occhi. Se anche i miei ricordi fossero inventati, perché me ne dovrei privare? Sono strumenti,
attrezzi di lavoro. Mi servono, come la pialla al falegname
e l'incudine al fabbro. Non solo non arrecano danno ad alcuno, ma anzi lo fanno piú ricco, lo fanno sognare, viaggia-*

re nelle terre che non potrà mai vedere, e se anche le vedesse con i suoi occhi non saranno mai belle come quelle che gli ho descritto io. Pensi forse che l'India, la Malesia o i Caraibi siano piú suggestivi di quelli che descrivo io? Ma sono il regno della desolazione, della miseria! Tu credi che se ti capitasse di assaggiare di persona la polpa del «duriòn» e degli altri frutti tropicali di cui si nutrono i miei personaggi ricaveresti un piacere maggiore di quello che ti faccio provare io? Non lo troveresti piú appetitoso di una pera acerba. Mentre il mio «duriòn» non lo dimenticherai piú e anche quando sarai vecchia starai ancora lí a sospirare: ah, non c'è niente come il sapore del «duriòn»!

E poi, c'è forse qualcuno che ha chiesto a Dante se è stato in quell'imbuto fuligginoso che è l'Inferno o se ha scalato il Purgatorio? Che ha chiesto ad Ariosto se è andato per davvero sulla Luna o se ha cavalcato l'Ippogrifo? Per viaggiare in paesi esotici basta avere del denaro e del tempo, un po' di coraggio o d'incoscienza. Son buoni tutti. Senza dire che di solito il viaggiatore non capisce niente, non ha tempo di capire niente. Si porta dietro i suoi pregiudizi. Vede quello che vuol vedere. Che cosa intendeva fare per davvero Maria Negrini andando tra i selvaggi del Sudan? Voleva forse salvare le loro anime? Voleva salvare se stessa, dare un senso alla propria vita, magari scappare da una famiglia che non la considerava – una femmina magrolina, poco adatta a spalare letame –, avere il plauso dei concittadini, magari salire alla gloria degli altari. Diffido dei santi, per istinto. Di ognuno di loro vorrei sapere che cosa lo ha spinto veramente a fare quello che ha fatto, al di là di quello che lui stesso crede o dice. Io un viaggiatore sono in grado di sorprenderlo, di stupirlo, di fargli vedere quello che lui non si aspetta. E poi non sono il solito europeo borioso che crede di essere superiore ai selvaggi. Tutto possono dirmi, meno che sono razzista. Sto con quelli che gli europei gli vanno a rubare in casa e poi magari gli fanno anche le prediche, gli dicono che devono convertirsi.

Ho scritto questa pagina, e mi sono vergognata di me. Ho capito che la domanda che volevo fargli nasce da una curiosità maligna, pettegola. Dal desiderio di abbassare gli altri al mio livello. Però una cosa giusta l'ho detta: quello che conta sono i libri, non i piccoli uomini che li scrivono.

Che cosa voglio fare attribuendomi – non richiesta – le funzioni di samaritana del capitano? Voglio riempire il vuoto della mia vita di contabile di una ditta di vermouth, abbandonata da un moroso che è andato a correre dietro i suoi sogni fin che era in tempo. Voglio percorrere ventimila leghe sotto i mari del capitano per scoprire da quali spaventevoli mostri sia abitato, e magari metterli in piazza, cioè in un libro. Ma per viaggiare su barche di carta costruite in quell'arsenale dei folli che sono le biblioteche, per viaggiare senza muoversi di casa, con la sola compagnia di un pacchetto di tabacco e di una bottiglia di marsala, bisogna avere un talento, una pazienza, una tenacia, una rabbia che non ce l'ha nemmeno Yanez. Gloria al mio viaggiatore immobile.

Mi è venuto il ghiribizzo di inventarmi una biografia immaginaria. Che cosa ci potrei mettere dentro? L'ascesa al Monviso che non ho fatto? Il mare che non ho ancora visto? La prima volta che sono andata al cinema Ghersi e poi non ho dormito tre notti dall'eccitazione?

Ci potrei mettere solo i libri degli altri, come ha fatto lui.

Prima proverò a scrivere un libro, poi mi inventerò una biografia adeguata. Che ho fatto la missionaria in Abissinia e ammansito il Mahdi, disceso il fiume Gange, mangiato il babirussa con Yanez e condotto palloni aerostatici da Pechino a Parigi.

All'inizio del 1909 Pipein Gamba gli aveva scritto da Genova che stava vagheggiando un progetto con il comune amico Emilio Firpo, il musicista. In città furoreggiava la compagnia d'operette di Amelia Dal Negro, veneziana come lui, in arte Amelia Soarez. Avevano messo in scena opere comiche di Audran, una *Francesca da... ridere*, parodia – spassosissima, riuscitissima per unanime consenso – della tragedia del D'Annunzio e piú ancora della Duse, che il pubblico si sbellicava dal ridere; un'operetta buffa dedicata a Shakespeare, e *Il carnet del diavolo*, altra brillante creazione fantastica di Gaston Serpette. Il successo premiava l'eleganza sfarzosa degli allestimenti, la bravura degli esecutori, il fascino della Soarez, incantevole come nessun'altra attrice d'operetta mai, col suo vitino di vespa, la simpatia birichina, la vitalità dirompente. Aveva appena rappresentato una *féerie* tratta dal *Robinson Crusoe* del Defoe.

Pipein e Firpo volevano proporre alla celebre soubrette uno spettacolo di cui fossero protagonisti i piú famosi personaggi dei romanzi salgariani, ognuno ritratto sullo sfondo dell'ambientazione esotica che gli era propria. Pipein si sarebbe occupato di scenografie e costumi, Firpo avrebbe pensato alla musica.

Il capitano pianse di gioia alla cara lettera degli amici genovesi. Aveva sempre pensato al teatro, alla musica, all'opera come alle creazioni che piú sentiva sue, lo commuovevano nell'intimo, lo sollevavano in cielo. Quel misto di suono, parola, colore, gesto, danza, era semplicemente

divino, ed egli avrebbe dato un anno della sua povera vita
per realizzare il sogno. Ricordava ancora l'emozione con
cui, nei due anni di Sampierdarena, saliva sul palcoscenico
quando ve lo chiamava gentilmente una vicina di casa, la
signorina Solimbergo, che dirigeva una compagnia di filodrammatici, e voleva riservare al pubblico la sorpresa della
presenza in sala dell'illustre scrittore e cavaliere. Ogni volta lui ringraziava, confuso, intimidito, commosso, cercando di scorgere il volto dei plaudenti oltre il velo delle luci
di scena, per capire se gradivano davvero che lui fosse lí.

Amelia Soarez e il di lei consorte, l'impresario Filippo
Sosso, dettero segno di gradire la proposta, e si misero a
far di conto. Dopo una settimana dissero che la *féerie*, in-
dubitabilmente suggestiva, dai preventivi risultava troppo
costosa per le finanze della compagnia: non si sentivano
di affrontare un impegno tanto gravoso, in una stagione
che si prospettava difficile. Per quanto a malincuore, erano costretti a rinunciare.

Il capitano sentí il gelo della delusione corrergli per
la schiena. Cercando di mascherare l'amarezza, scrisse a
Gamba il suo dispiacere. Gli sarebbe tanto piaciuto rive-
dere sulla scena i suoi protagonisti, già pregustava le danze esotiche, le coreografie piene d'effetto. E poi chissà,
Gamba, Firpo, lui stesso, ci avrebbe persino potuto rica-
vare «qualcuno dei famosi baiocchi che si fanno vedere
con tanta parsimonia». Gli amici parlavano anche di rica-
vare una sorta di Ballo Excelsior Futurista da *Le meraviglie del Duemila*. Lui li lasciava dire. Adesso non si faceva
piú illusioni.

Pensava sempre piú spesso, con un'insistenza che diventava presto dolorosa, alla cinematografia. Torino non
sfornava soltanto nuove fabbriche d'automobili ogni settimana. Era la capitale riconosciuta della nuova arte. I ca-
pannoni dell'Itala Film stavano sulla precollina, appena
passato il ponte di corso Regina Margherita. Lavoravano a
pieno regime, creavano opere ambiziose, anche d'impian-

to storico; non lesinavano sulle scenografie, sugli effetti.
I falegnami mettevano su degli ambienti che sembrava di
essere dappertutto, nell'antica Roma come nella savana.
Possibile che delle ottanta storie che aveva scritto non ce
ne fosse qualcuna che poteva essere adatta alla cinematografia? Eppure non vi mancava niente, le armi e gli amori, le ardite imprese. Poteva dire senza iattanza o superbia
che il cinema – favola per immagini – l'aveva inventato lui,
prima dei fratelli francesi: nella sostanza, cioè nell'arte, in
attesa che arrivassero i sussidi della Tecnica e del Progresso.
    Scopriva di non avere amici, a Torino: un Gamba, un
Della Valle o un Firpo che potessero introdurlo con le loro
conoscenze là dove lui non riusciva – non osava – arrivare.
Chi lo avrebbe presentato ad Ambrosio, a Pastrone? Di
Pastrone, che pure veniva anche lui dalla provincia – era
di Asti – temeva lo sguardo magnetico, anche un po' allu-
cinato, da mettere soggezione, che traspariva da una fotografia di lui intravista su un settimanale: occhi saettanti
come quelli di Sandokan. Si sa, gli artisti sono abitati da
un demone che i comuni mortali non riescono nemmeno a
immaginare. Per questo è cosí difficile trovare il linguaggio giusto per parlare con loro. Lui aveva la merce migliore, ma non sapeva venderla. Questa era la verità amara
che ogni giorno si rinfacciava. Nei suoi libri tutti parlano
con sciolta e forbita eloquenza, lui non riusciva a trovare
le parole giuste per farsi apprezzare da Pastrone, da tutti
i pastroni di questo mondo.

Pattini

I ragazzi sono voluti andare a pattinare al laghetto del Valentino. Sia il padre che la madre non li hanno accompagnati per il troppo freddo. Un inverno cosí gelido nemmeno i vecchi lo ricordano. Il capitano non vuole piú uscire di casa, al tavolo di lavoro sta avvoltolato in una vecchia coperta come un capo indiano in una pelle di caribú. Ogni cinque minuti si alza per attizzare il fuoco.

Alla *patinoire* li ha portati Fathima in tram. Hanno affittato i pattini e provato a stare in piedi. È piú il tempo che impiegano a tirarsi su che i passi che riescono a fare. Si spingono tra loro, cadono e ridono. Nella fretta di uscire si sono coperti poco, Omar e Romero hanno candelotti di moccio dal naso. I bambini dei ricchi hanno dei maestri che gli insegnano, loro li guardano senza farsi vedere, aguzzando le orecchie.

C'era anche un prete che volteggiava sicuro come una libellula, Fathima non ha mai visto tanta grazia, tanta leggerezza. Ai bordi della *patinoire* sostano delle signore molto eleganti con tanto di manicotti e colbacchi d'astrakan, e guanti di pelle finissima. Sembra che non patiscano il freddo, da quanto sono rosee e trillanti. Il loro profumo arriva lontano. Fathima si vergogna del suo cappotto, una vecchia palandrana di sua madre di quando faceva l'attrice, rivoltata e aggiustata dalla sartina del caseggiato. Sembra la coperta dei cavalli che aspettano i clienti a piazza Castello.

Quando hanno smesso di pattinare i Salgari si sono comperati un cartoccio di caldarroste per scaldarsi; nel cartoccio le castagne sono poche, litigano, Omar piange. Arrivati a casa lividi per il freddo e con la tosse, Aida accusa il loro padre di dargliele tutte vinte, prenderanno di sicuro la polmonite, specie Fathima, poveretta, poi tocca a lei curarli, fare le notti, andare a chiamare il dottor Heer, mettergli la pezzuola bagnata sulla fronte, dargli gli sciroppi.

Lettera al Commendatore

Il bravo giornalista Casulli non aveva risposto alla sua invocazione d'aiuto, due mesi prima, ma Aida poteva capirlo. Era giovane, abitava lontano, aveva le sue preoccupazioni. Chi altri poteva venire in loro soccorso se non l'editore in persona, il commendator Enrico Bemporad? Chi se non lui poteva concedere a suo marito un po' di respiro, una tregua che gli consentisse di ricuperare energie? Facendosi forza, pesando le parole, Aida scrive a Firenze. Descrive anche al Bemporad i giorni tristi e le notti spaventose che la fanno vivere in ansie continue e dolorose. Dispera di veder calmo il marito come da lungo tempo desidera. Il padre dei suoi quattro figli è diventato nevrastenico al punto di destare in tutti gravi apprensioni. Quali soddisfazioni morali prova pur essendo uno dei piú noti scrittori italiani? Nessuna, sempre accanito al lavoro, senza che mai gli giunga un incoraggiamento della Casa Bemporad. Sebbene Iddio l'abbia dotata di un fibra di ferro e faccia di tutto per distrarlo dalla malinconia, il Commendatore deve credere che ogni giorno lei si sente mancare l'animo di continuare a incoraggiare quell'uomo sofferente. Che cosa sarà dei suoi figli se il loro padre, in un accesso di nevrastenia, dovesse commettere qualche pazzia, come purtroppo ne avvengono di sovente in questi casi? Chi dovrebbe ringraziare? Tutto si può rimediare lasciandolo lavorare tranquillo. Lei non chiede di piú.

La risposta del Commendatore arriva dopo sei giorni. Dice di non sapere davvero a cosa attribuire lo sfogo della signora. Nell'ultima sua lettera l'ha pur tranquillizzata circa la congruità e la puntualità dei pagamenti, nel pieno rispetto del contratto stipulato. L'invio degli acconti mensili non è legato alla consegna di alcun manoscritto. Egli ha sempre sentito il dovere e il desiderio di portare a suo marito la massima deferenza. Vuole che stia bene in salute, e riposi quando ne sente il bisogno. Lo ripete: se anche per qualche mese non dovesse mandare manoscritti, egli manderà egualmente il denaro. Trova infine assai fuori di proposito la frase «Chi dovrebbe ringraziare...» scritta dalla Signora per tenerlo moralmente responsabile se qualche disgrazia, Dio ne scampi, dovesse accadere. Non è uso a ricevere pressioni in tal forma. Attribuisce la frase a un suo momento di smarrimento d'animo e le presenta i suoi ossequi.

Aida legge la lettera tre volte, poi la nasconde nella biancheria. Vorrebbe avere il Commendatore tra le mani, strozzarlo sino a vedergli uscire la lingua di bocca, violacea, congestionata come una salsiccia, sino a sentirlo afflosciarsi per terra, il lurido sacco di trippe. Tremenda vendetta!, dice a se stessa come per incoraggiarsi a un gesto di giustizia.

Le città del futuro

Nella fredda primavera del 1911 arrivano dal Valentino notizie strabilianti. Per l'Esposizione Universale in riva al fiume stanno costruendo un'intera città, da un ponte all'altro del Po, con l'aggiunta di un Ponte Monumentale nel mezzo, e due ferrovie aeree elettriche. Almeno cinquanta palazzi, quello della Francia è lungo quasi duecento metri e alto sessantatre, perché come dice il capitano i francesi devono sempre strafare. Assomiglia un po' a Palazzo Madama, con l'aggiunta di un cupolotto alla Bernini. Fortuna che gli inglesi hanno voluto mettere le cose a posto e confermare la loro primazia con un padiglione grande il doppio di quello francese, anche quello un po' ispirato al nostro Barocco, una sorta di morbido braccio ricurvo che ricorda il Castello di Stupinigi; e davanti ha le fontane monumentali costruite per l'Esposizione del 1898 che gli danno un bel respiro. Perché gli inglesi in fatto di réclame sono dei maestri. Però i francesi oltre al padiglione nazionale stanno tirando su anche il Palazzo della Città di Parigi, enorme, imponente, quasi minaccioso, che da solo tiene un isolato dei nostri.

Ai tedeschi, con i quali corrono le relazioni commerciali piú importanti, è riservato lo spazio d'onore sul grande piazzale che serve da testata al Ponte Monumentale: 9000 metri quadrati, e 270 metri di lunghezza. Stile severo, elegante, ritmato dalle colonne. Nemmeno Palladio poteva immaginare di meglio.

I paesi ci sono tutti, anche i piú lontani, come il Siam

e la Nuova Zelanda, il Giappone, la Persia, l'Argentina, il Messico e il Perú, l'Uruguay e la Repubblica dell'Equatore. Gli ungheresi hanno sorpreso presentando una piramide in legno che è stata subito definita «la Perla dell'Esposizione». Non manca proprio nessuno. Dappertutto un trionfo candidissimo di colonne, frontoni, timpani, guglie, pinnacoli, cupole, riccioli, stucchi, statue allegoriche, serti e lauri, da far sfigurare persino l'Opéra di Parigi. Ci sono anche il villaggio somalico, quello alpino e quello eritreo, piú l'ottovolante, il tapis roulant, l'aquarium, la guidovia aerea, i vaporini sul Po. Ci sono soprattutto i palazzi dell'industria e della scienza: la Moda con manichini costruiti e abbigliati da veri artisti, le Arti applicate, gli Strumenti musicali, l'Elettricità, l'Agricoltura e le Macchine agrarie, l'Arte della stampa e l'Oreficeria, le Ferrovie, Automobili e Aeronautica, la Seta e la Metallurgia, le Industrie Manifatturiere, Chimiche ed Estrattive. La Città Moderna occupa vari edifizi per 6000 metri quadrati, ci si possono trovare tutte le novità in fatto di servizi igienici, riscaldamento, illuminazione, mobilio, cucina. Perché oggidí, si sa, Arte e Industria vanno a braccetto. Non mancano nemmeno i padiglioni delle ditte: la Compagnia Liebig, il Cognac Martell che sembra una guglia gotica, Moët & Chandon che rifornisce perfino il Mahdi, il nostro Talmone.

Lo Stadium per le manifestazioni ginniche e sportive è in grado di ospitare, tra posti seduti e in piedi, 70 000 spettatori. La sera dell'inaugurazione lí si esibiranno 6000 bambini, via Roma sarà illuminata elettricamente con lampadine dai riflessi perlacei. Per forza: sono annunciate le Altezze Reali, il presidente Giolitti, vari ministri e sindaci, cinquanta senatori, cento deputati, l'intero corpo diplomatico.

Un bello spirito ha parlato di «progresso del progresso». La modernità indemoniata corre cosí in fretta che non si riesce a tenerle dietro. Il progresso lo si può misurare sull'ultima esposizione internazionale, quella di Parigi del

1900: perché quella di Saint Louis del 1904 era solo americana, e quella di Milano del 1906, via, non era una vera esposizione generale.

L'automobile e l'aeroplano. Non si parla d'altro.

Per giugno sono attese gare d'aviazione Roma-Torino con premi di ben 250 000 lire, gare di dirigibili e di palloni sferici, regate internazionali, corse ciclistiche e di tiro a segno, concorsi ginnici e ippici, concerti. Persino una gara di telegrafia.

Camminando a passi sempre piú lenti, il solito zampirone che gli fumiga tra le dita, il capitano accoglie con dei grugniti le notizie di quelli che sono stati nei cantieri e non si perdono un articolo di giornale. Cosa potranno mai essere quei palazzi di cartapesta dipinta a confronto delle pagode vere che lui ha descritto? O i monumenti che gli Egizi hanno edificato tremila anni fa? Tutta quella frenesia, quell'isteria, quel reciproco eccitarsi a meglio onorare il Dio del Commercio gli danno la nausea. Perché è lí che tutto il culto del Progresso va a finire: nell'adorazione del Vitello d'oro.

Aveva visto bene De Amicis qualche anno prima, bisognava dargliene atto: Torino era diventata un campo da fiera, invasa – invasata – da uno spirito ciarlatanesco che esalava dai cartelloni colorati. E poi se la prendevano con la violenza dei suoi libri! Ovunque una tappezzeria di giornalacci che presentavano caricature e sudicerie, immagini di disgrazie e delitti da far rabbrividire. Ovunque donne invitanti che mostravano qualcosa. «Il commercio cittadino era in stato di erotismo cronico» – che bravo De Amicis quando non vuole far piangere! Persino i tranvai sono pittati come baracche di saltimbanchi. Senza dire gli stridori, gli schianti, le campanelle, i fischietti. Adesso tutta la baracconata trova il suo trionfo per mano di mercanti assatanati, ubriachi di denaro e di potere, travestiti da probi amministratori, smaniosi di mettersi in mostra. Basta guardare le facce tronfie e ipocrite del comitato organizzatore, stanno tutti i giorni sui giornali e sugli opuscoli pubblicitari, il senatore Villa e il benemerito sindaco Frola, il commendator Bianchi, l'avvocato Rossi, il conte Orsi. Tutti a sbrodolarsi di invenzioni che presto si riveleranno per quello che sono, giochi pericolosi per adulti bambini, come quell'assurdità dell'automobile, la grande *scoresòna*. C'è qualcuno che può ragionevolmente sostenere che macchine capaci di produrre soltanto polvere e rumore rappresentano il Progresso?

Altra follia, l'aeroplano, come lo ha battezzato il D'Annunzio, che anche lui non perde occasione per farsi pubblicità, vanesio com'è, non meno di quell'altro pagliaccio, il Marinetti, che si crede di incarnare lo spirito dei tempi nuovi annunciando tempeste. Bel progresso! Delagrange, quello che a Torino non riusciva a sollevarsi da terra, è caduto a Bordeaux con il suo monoplano per via di un soffio di vento. Una settimana sí e una no le copertine della «Domenica del Corriere» si scapricciano a illustrare disastri. Il trasvolatore Geo Chávez è caduto dopo aver superato le Alpi. Santos Dumont s'è schiantato sulla sua *Demoiselle*. La prima aviatrice, l'intrepida baronessa de la Roche, è finita contro un filo con il suo biplano. Il famoso Blériot s'è schiantato contro una stamberga di Costantinopoli, fortuna sua che se l'è cavata. Il torinese Pino Saglietti è precipitato a Roma sul suo Sommer, dopo essersi arrampicato fino a seicento metri e aver tentato un audace volo planato a motori spenti. Bravo merlo! Ancora non sei capace a stare per aria e vuoi venire giú a motori spenti? Il 9 ottobre un aeroplano e un biplano si sono scontrati nel cielo di Milano. Leblon è caduto nella baia di San Sebastiano. Il mese scorso un altro aeroplano è precipitato sulla folla a Madrid. Quale altro tributo di sangue deve ancora chiedere la mostruosa divinità?

Se proprio la vogliamo mettere sul piano delle invenzioni fantasiose, lui ha fatto ben altro. Ne *Le meraviglie del Duemila* c'è già scritto tutto senza andare a spendere sei milioni di lire in lanterne magiche, come ha fatto il comitato organizzatore. E allora perché non lo invitano nei loro Palazzi della Scienza e della Tecnica? Perché lo ignorano, gli rubano le idee e poi lo trattano come fosse quel domatore di pulci che teneva il suo spettacolino in piazza a Verona?

Stava con il suo amico Demo a guardare il fiume in piena che aveva spazzato l'isola dei conigli. Ha detto:

– *No voio pí sentir parlar de 'sta troiàda de Esposisiòn. Che i se la tegna.*

Dai quaderni di Angiolina

Marzo 1911

– Le meraviglie del Duemila interessano anche te? Allora leggi qui, che cosí non hai bisogno di andarti a pigiare al Valentino.

Quasi con rabbia, prende una copia del suo libro dall'armadio («È l'unica che mi è rimasta») e ci scrive: «A Superina perché superi se stessa». Poi si mette a parlare a occhi chiusi, come un profeta sofferente:

– È facile inventare prodigi, sai? Ci ho messo una settimana a inventare il mondo del Duemila, e alla fine son venuto via schifato. Ci ho messo un enorme fuso che usa come carburante l'idrogeno liquido e traversa d'un sol balzo l'Oceano Pacifico. Ho previsto esplosivi potentissimi capaci di produrre danni inimmaginabili a grandi distanze. Un disco volante azionato dall'energia solare che parte per la Luna con due scienziati. Ho mandato un sommergibile fino al Polo facendolo passare tra i ghiacci. Ho brevettato un treno pneumatico costruito in titanio, che corre a trecento all'ora sparato come un proiettile in un tunnel d'acciaio, con tanto di congegni ad acqua per ridurre il calore prodotto dall'attrito. Un giornale visivo migliore del cinematografo che si può leggere stando comodamente a casa propria. Nel mio Duemila non ci sono piú operai perché la macchine fanno tutto loro e cosí quelli tornano a fare i contadini e i pescatori che è una cosa piú sana. Ho messo turisti dappertutto, anche al Polo Artico, con tanti begli alberghi per i ricchi europei. Alle Isole Canarie ho impiantato una riserva per salvare gli animali in via di estinzione,

perché le balene e le foche vengono distrutte dagli avidi
pescatori americani... Niente piú pasti come adesso, ci nu-
triremo con delle pillole che ci verranno portate a casa da
trenini automatizzati... Ti piace tutto questo? Ma degli
uomini, che sono la cosa piú importante, chi si preoccu-
pa? Dove andranno a finire? Diventeranno degli automi
anche loro? Rotelle di ingranaggi manovrati da chissà chi?
A cosa servirà essere coraggiosi, leali, generosi, insomma
degli uomini con i maroni, che già adesso in questo bel
Regno d'Italia di mercanti profittatori e speculatori non
se ne vedono piú? Sí, è vero, l'elettricità toglie la fatica
fisica. Ci ha di buono che almeno è silenziosa. Fatichere-
mo di meno, faranno tutto le macchine. Ma l'elettricità ci
farà diventare elettrici, degli invasati epilettici! La vostra
– non la mia, perché presto vi mollo nella broda! – diven-
terà una vita di corsa, compresa quella delle signore, anche loro a correre come se dovessero prendere il treno che
parte o camminare sui carboni ardenti! Mangerete in piedi, cari miei, ossessionati dalle cose da fare, dal tempo che
vi scappa di sotto! Eccola lí la trappola! Addio nervi! A
ramengo! L'elettricità vi manderà dritti sparati dentro la
follia! Eppure c'è ancora chi ha messo in commercio una
macchina elettrica che promette di «infondere energia nei
logorati»! – cava dalla tasca un ritaglio di giornale. – Ecco la réclame dell'apparecchio del dottor McLaughlin, che
vendono in un negozio di corso Vittorio Emanuele, a Milano. È un americano, 'sto McLaughlin? O un truffatore
italiano travestito da americano che concorre anche lui a
far disastri con l'elettricità?
   È arrabbiato, trincia l'aria con il bastone. Provo a dire che gli adulti hanno bisogno di favole, piú dei bambini. Non mi sta a sentire. Sbatte il cappello per terra, si
raschia la gola:
   – Io comunque, cara mia, tutti questi begli eroi del futuro li faccio finir male: i novelli Icari in viaggio verso la
Luna sono sfigurati dalle ustioni del sole, il sommergibi-

le finisce sepolto negli abissi marini. E i due protagonisti che si sono fatti ibernare per risvegliarsi nel 2003 non sono per niente contenti.

Adesso che ha fatto finire i suoi personaggi di malamorte, è piú tranquillo. Mi prende un braccio, lo stringe forte:

– Ma tanto i profeti chi li sta a sentire, poveri mona! Anzi, corrono a fare il contrario. Ti dico solo un'ultima cosa, e basta lí, e poi tu fanne quello che vuoi, Angiolina. La natura non è sempre buona e madre, il piú delle volte è cattiva e matrigna, ma grande sempre. La natura se la ride degli uomini, *ghe písa adosso*. La natura non vuol padroni. Se si arrabbia, gli uomini se li scrolla di dosso come pidocchi, basta un terremoto, un vulcano, un maremoto, un po' di vento forte. Il mondo può cambiare fin che vuoi, è lei che non cambia. La natura è violenta, gli uomini sono violenti perché hanno imparato da lei, si imparano le cose cattive, non le buone. Se uno deve morire, meglio per mano della natura, lottare coi giganti invece che con i pidocchi. Anche quella volta là dell'*Italia Una*, della tempesta, era come stare in una scena dell'opera alla Fenice, ma cosí grande che quasi faceva piacere esserci in mezzo, a sentire tutti i fiati dell'orchestra che ci danno dentro e i tamburi e i timpani, l'unico dispiacere era non poterla raccontare, perché anche a tornare se non l'hai provato sulla tua pelle nessuno può arrivare a sentire quello che hai sentito tu. Per cui ti dico: lascia questo borgo indormento, lascia tutto, anche la famiglia, gli affetti, gli amici, il moroso che magari torna, vai per il mondo a vedere com'è fatto, fai come Maria Negrini ma senza l'idea di convertire nessuno. Nei libri non c'è il mondo, c'è il sogno del mondo, e i sogni sono confusi di natura, e anche interpretarli non serve a niente. I sogni raccontano balle come la Pizia. Il «Giornale dei viaggi» racconta *monàde*. Con loro credi di saper già tutto, e non sai niente perché quella che spacciano per vita vissuta sono cucche per i gonzi inventate a tavolino. Sono stato gonzo anch'io, per tanto tempo, ma non potevo fare diverso. Potevo stare dietro un banco di tessuti a trattare con delle vecchie ciampòrgne rinsecchite che puzzano d'acquasanta ? Non ti fare incatenare a un tavolino come me. Non lasciare che nessuno ti metta i ferri.

L'esploratore

*Tutti muoiono dunque intorno a me? Ma che ho fatto io,
Siva, perché debba perdere tutti quelli che io amo? Sono io
dunque maledetto dai numi?*

Aida lo ha guardato come se stesse facendo un capriccio,
cosí è sceso nel ristorante del signor Demo, e si è lasciato
andare sulla prima seggiola che ha trovato:
– Ha saputo? Se n'è andato anche Franzoj. S'è fatto
saltare le cervella. Come Giacomo Bove a Verona, tanti
anni fa. Gli amici cari se ne vanno. Mi lasciano solo.
Era impietrito. Il signor Demo gli ha servito un cognac.
La storia di Augusto Franzoj l'ha imparata a memoria, a
furia di sentirne parlare. Il capitano l'aveva conosciuto a
Verona nel 1885, quando era venuto a tenere una conferenza sulle sue avventure d'Africa. Forte come una quer-
cia, sprezzante, insofferente d'ogni fellonia, uso a regolare
sul campo le questioni dell'onore. S'era battuto in trenta
duelli, aveva il torace arabescato di ferite, quando teneva
le sue conferenze amava mostrare al gentile pubblico le
cordonature viola e marrone come altrettante onorificenze. Sugli altipiani d'Abissinia e del Sudan aveva percor-
so tremila chilometri da solo, senza denaro, senza busso-
la e con poche carte, nelle terre del Mahdi, fino a Caffa.
A Cheren era sopravvissuto a un attacco di predoni che
l'avevano spogliato d'ogni avere. Era diventato amico di
Menelik, lo aveva seguito nelle sue campagne contro i Gallas. Tutti in Africa lo conoscevano e apprezzavano, persi-

no quell'avventuriero francese trafficante d'armi, il Rimbaud. Era riuscito a farsi consegnare dalla regina madre di Ghera, una vera megera, le povere spoglie dell'esploratore ingegner Chiarini che anni prima era morto di stenti, forse avvelenato, nelle sue prigioni. Nessuno glielo aveva chiesto, ma lui s'era fatto un punto d'onore di riportare in patria i resti di quell'eroe della scienza e della civiltà. Un uomo leale e disinteressato, che era stato fatto oggetto di invidie e calunnie anche presso il ministero degli Esteri. Ma quando era tornato in patria per organizzare una nuova spedizione verso i laghi equatoriali, a Torino in ottocento si erano dichiarati pronti a seguirlo! Questo era Franzoj. Un gigante.

Da ultimo s'era ritirato a San Mauro, a due chilometri dalla Madonna del Pilone. S'era sposato con una signorina piú giovane di vent'anni, la gentile Ermelinda Angelucci; ne aveva avuto un figlio che gli assomigliava: forte, ricciuto e ribelle.

Il capitano andava a trovarlo volentieri, uscendo ogni volta tonificato dai discorsi del grand'uomo, tanto stimato anche dal Carducci. Gli faceva piacere che fosse ancora con lui il fido moretto Wolda Mariam della tribú dei Gallas che gli aveva piú volte salvato la vita, e l'aveva seguito in Italia. Anche al capitano sarebbe piaciuto avere al suo servizio un moretto Gallas cosí gentile e servizievole.

Quand'era in visita a San Mauro il capitano annotava sul calepino le usanze di quei popoli che l'altro raccontava, anche le piú aberranti: castravano i nemici da vivi e da morti, tagliavano mani e piedi e lingua per niente, si cospargevano di grassi ripugnanti, legavano insieme guardie e prigionieri per essere sicuri che non scappassero.

Franzoj era uomo di spirito, aveva il senso dell'umorismo, sapeva condire i suoi racconti con argute citazioni da Virgilio e Plauto, faceva effetto sentirle applicate ad atroci fatti di sangue. Quando teneva conferenze a Verona amava sottolineare i fatti piú bizzarri con risate tonanti, che già allora tuttavia al capitano suonavano un po' forzate; a San Mauro lo spirito era sempre quello, ma accorato, malinconico. Soffriva d'artrite, e il capitano, che in casa aveva un'intera farmacia, si permetteva di suggerire rimedi: il Linimento Galbiati, l'Artrolo Serono, la Lampada Dowsing, il massaggio alla vibroterapia. Franzoj ai suoi mali non voleva concedere niente, nemmeno il fatto di nominarli. Diceva di non soffrire d'ipocondria. Anzi, diceva di «picúndria».

Mostrava volentieri i cimeli che aveva portato dall'Africa: lance e zagaglie, braccialetti, anelli e collane in osso, tamburi, monete, statuette votive, pelli di serpente e di animali feroci, conchiglie. Parlavano spesso della strage di Dogali, di come lui avesse trattato la consegna dei nostri prigionieri con ras Alula, di certi ufficiali incompetenti i quali credono che l'Africa sia come le campagne di Trofarello («fanno errori da far ridere anche un giovane caporale»).

Quando era scoppiata la guerra italo-abissina si era persino offerto come intermediario; aveva puntualmente previsto la vittoria del Negus, l'aveva fatto sapere anche al Crispi: perché la situazione era molto piú grave di quello che raccontava quel balengo di Baratieri. Poi ci fu la vergogna di Adua, i milleseicento prigionieri fatti da Menelik. Lui era disposto a occuparsi del rimpatrio dei prigionieri, ma al ministero l'avevano messo da parte. Era un personaggio scomodo, litigioso, faceva di testa sua, criticava gli ufficiali. Meglio non averlo tra i piedi.

Il capitano lo seguiva nelle sue narrazioni dimostrando di avere buona conoscenza degli altipiani d'Abissinia e dei complicati giochi politici e diplomatici di cui erano teatro. Quando l'altro parlava dei regni di Limmu, Gimma e Gomma, di Boro-Media e di Cheren, di Ankober, del Goggiam, dei fieri Ittus Gallas, sembrava orientarsi perfettamente. Dal canto suo, il coraggioso esploratore apprezzava la competenza e la modestia dell'amico.

Il capitano era avido d'informazioni anche circa la sfor

tunata spedizione in Amazzonia organizzata da Franzoj,
cui aveva partecipato un suo amico fraterno, il geometra
Quintino Pene, un allegro compagnone, un sodale della
bohème torinese, che s'era ammalato gravemente di febbre gialla; ma l'amico ne parlava malvolentieri perché era
stato un fallimento.

Franzoj era diventato socialista, ma senza prendere la
tessera. Amava dire che non era schiavo di nessuno, nep-
pure della libertà. Di politica con lui il capitano preferiva
non parlare. La sua devozione per casa Savoia era tale che
ogni critica ai regnanti e al governo lo addolorava. Quando
Franzoj diceva di Bava Beccaris che la sua natura di immondo beccaio stava già scritta nel cognome, taceva imbarazzato. Comprendeva tante ragioni, stava dalla parte
dei poveri, ma sentiva d'avere con i Savoia un rapporto
quasi parentale, di reciproca stima. Anche Franzoj non
amava parlare dell'oggi, tanto meno della squallida categoria dei politicanti, avidi di denaro e incapaci di pensare
al bene pubblico. Lui ne aveva patito le piú mortificanti
meschinità. Anche a Torino tanti erano stati rovinati dalle speculazioni immobiliari. Naturalmente nessuno aveva
pagato le sue colpe.

L'esploratore gli aveva fatto dono di un corto pugnaletto
ricurvo, taglientissimo, in uso presso gli abissini, che adesso
faceva bella mostra di sé in una vetrinetta di corso Casale.
Aida, cui erano stati descritti i tesori portati dall'Africa,
avrebbe gradito ricevere in ricordo un anellino, una colla-
nina. Rimproverò aspramente il marito di essere un egoista.
Non aveva saputo trovare la frase giusta, lui che campava
di paroline e parolone, per indurre l'amico a ricordarsi anche di lei, che faticava come l'ultima delle schiave negre.

La mattina del 13 aprile 1911 alle ore dieci e trenta,
all'età di anni sessantadue, l'audace vercellese, l'agitato-
re mazziniano, il giornalista indomito che aveva sfidato
l'Africa, l'Amazzonia, le potenze coloniali, il ministero

degli Esteri; l'amico di Menelik e di Re Giovanni s'è portato alle tempie due pistole e ha fatto fuoco.

Che cosa è mancato ad Augusto Franzoj nella quiete
campestre di San Mauro? Che cosa gli è riuscito insopportabile di sé e degli altri? Che cosa si rimproverava?
Perché s'è chiamato fuori dal teatro del mondo, come disperando che qualcuno potesse riconoscere i suoi meriti e
metterli a frutto per la collettività? Gli sono forse mancati
i grandi spazi degli altipiani abissini, le sfide quotidiane,
le popolazioni ferine che praticavano l'arte del massacro
con una specie di innocenza infantile, e con le quali si intendeva cosí bene?

Queste sono le domande che si fa il signor Demo. Gli
sembra che il capitano conosca le intime ragioni che hanno indotto l'amico al tragico gesto; che le condivida e approvi. Di certo ammira la grandezza di Franzoj anche nel
gesto estremo.

In una sua applaudita conferenza l'esploratore aveva
fatto fremere di commozione e pietà l'uditorio, tra cui
molte signore, descrivendo la cura amorevole con cui aveva disseppellito, nettato e lavato, una per una, le povere
ossa dell'ingegner Chiarini prima di riportarle in Italia. Il
ricordo rende piú acuto il dolore del capitano. Dipendesse da lui, sceglierebbe per Franzoj una pira funebre in riva al fiume, al modo degli indiani; o esporrebbe il corpo
agli avvoltoi, secondo l'uso pellerossa. Non può immaginarlo sotto terra.

Il signor Demo torna a casa turbato. Pensa al pugnaletto ricurvo che Franzoj ha regalato al capitano. Fortuna
almeno che dall'amico non ci sono pistole funzionanti, per
via dei bambini.

La notte sogna che la scimmia Peperita ha rubato il pugnaletto e sgozzato Nadir, Romero e Omar. Nel sogno Fathima stringeva la scimmia al petto, la carezzava e diceva:
povera Peperita, cos'hai combinato.

Dai quaderni di Angiolina

16 aprile 1911

La morte dell'esploratore angoscia il capitano. Non vuol parlare, non scrive piú. Ha letto e riletto e imparato a memoria le lettere che Franzoj ha inviato ai giornali annunciando il gesto estremo, come un eroe antico. È annichilito. Va sull'argine, sta per ore a guardare l'acqua. Anche Aida ha una faccia di gesso. Solo i ragazzi non si accorgono di niente. I maschi sono sempre fuori e Fathima si esercita con la sua musica. Pare impossibile che da quella casa esca un suono cosí puro, cosí fiducioso nella vita. Mi si è attaccata come a una sorella maggiore, ma non ho da raccontarle cose che possano interessarle. In città non vado, la moda non mi interessa, di musica so poco, amori non ne ho. Cerco di farla parlare io, provo a indovinare chi potrebbe essere un suo innamorato. Dice che anche lei non ha tempo per gli innamorati ma intanto gli occhi le scintillano. Ha vagamente accennato a un certo Pierino che suona il bombardino in una banda, e la fa sempre ridere. Però è uno che allunga un po' troppo le mani.

Ieri ho detto stupidamente al capitano che mi godo i piccoli segni che annunciano il ritorno della primavera, la forsizia che illumina di giallo il muro dei vicini, il gelsomino detto di San Giovanni che ha già cacciato i fiori. Mi ha risposto che la primavera è insopportabile, un'offesa per chi soffre. Vive la bellezza come un oltraggio fatto a lui personalmente.

Le piogge degli ultimi giorni hanno molto ingrossato il

fiume. Ha tirato fuori dalla tasca un foglietto dove stava appuntata una citazione.

– L'ho trovata in una scheda, è di un poeta, ma non so piú chi è. Dice: «L'onda della vita avanza, onnipotente, inevitabile, impaziente, forzando il letto angusto per aver pace dove nacque, nel mare». È bella, vero?

Ci ha pensato un po' sopra: – Anche gli uomini vorrebbero trovare pace nell'acqua da cui sono venuti.

Vado avanti a leggere i suoi ultimi romanzi e mi spavento dell'aria che ci trovo. Una voglia di catastrofe, la gioia cupa del disastro. Non solo perché un romanzo d'avventure ha bisogno di pericoli, cosí come il lettore ha bisogno di paura. Ci sento il piacere acre di descrivere i fallimenti finali degli uomini, le loro folli intraprese, la loro attitudine ridicola e perversa di credersi superiori, il correre verso il baratro senza saperlo. Tutto quello che, secondo lui, sta per andare in esposizione al Valentino.

Ma anche prima, quando aveva vent'anni, le storie che ha raccontato le ha fatte finire in tragedia, almeno nelle appendici: Tay-See la bella cocincinese calpestata dall'elefante, perfino Sandokan che si suicida con la sua innamorata. Perché cosí gli dettava l'istinto, perché aveva bisogno di tragedia? O meglio, dei gesti della tragedia? Poi è successo che, dovendo raccogliere le appendici in volume, gli editori gliele hanno fatte cambiare. Però alla fine di ogni puntata i suoi eroi le pugnalate e le palle in pieno petto le prendevano lo stesso, anche se poi sopravvivevano miracolosamente.

Mirando a loro mirava a sé, con lo stesso piacere con cui immaginava i supplizi per Ada, la Vergine della Pagoda. Ma anche nei libri successivi, ha con i suoi eroi un atteggiamento ambivalente: un po' li vuole uccidere, un po' li salva. Tremo all'idea che faccia la stessa cosa con se stesso.

Ieri sera gli ho detto che volevo organizzare un viaggio, una spedizione: dove faceva piacere a lui, anche al Polo. Ci sono tanti esploratori entusiasti, a Torino, avrei chiesto, non si rifiuteranno di accogliere tra loro lo scrittore illustre che sa tante cose e gli può fare da guida. Anzi, con lui sarebbe più facile trovare fondi per organizzarla.

– Ah, se è per quello, – ha detto, – mi considerano una vecchia tigre impagliata.

Ha aggiunto: – Vedi come finiscono quelli che hanno tanto viaggiato. Bove, Franzoj. Si riempiono di mondo, tornano, e niente gli basta più. Gli poteva bastare San Mauro a Franzoj? Tu sei generosa ma lo sai che non posso. Il mio tempo l'ho consumato. Non ho più energia per niente. Non ci vedo più. Aida sta andando alla deriva e non posso fare niente, non posso aiutarla, come lei non può aiutare me. È come se fosse su un lastrone di ghiaccio che se la porta via, e mi chiama e non ho nemmeno la forza di rispondere. Ti confesso una cosa tremenda. Arrivo a sperare che l'oceano ci inghiotta presto tutti e due.

Ho imparato da lui a registrare tutto su schede ben ordinate. Trascrivo qui i passi in cui egli mi sembra prefigurare la sua stessa morte.

La lama che penetravagli nel petto gli spense la voce. Sbarrò gli occhi, li chiuse, uno spasimo violento agitò le sue membra e si irrigidí. Un rivo di sangue caldo scorreva per le sue vesti, disperdendosi per le pietre.

Un getto di sangue gli uscí dalla bocca, stralunò gli occhi, emise un gemito e si irrigidí. Era morto.

Aveva gli occhi chiusi, la faccia orribilmente alterata e in mezzo al petto, confitto sino al manico, un pugnale. Le vesti erano tutte lorde del sangue che usciva ancora dalla profonda ferita.

Col volto cinereo, gli occhi schizzanti dalle orbite cacciò fuori un rauco gemito e cercò di risollevarsi ma ricadde.

Devo prepararmi ad accompagnarlo là dove ha deciso di andare.

Che mezzo sceglierà? Non l'acqua, perché l'istinto del nuotatore prenderebbe il sopravvento. Non l'impiccagione, è un supplizio caro ai nemici della libertà. Non il veleno che è la risorsa dei vigliacchi e delle donnette, un trucco da farmacisti che va giusto bene a teatro per far correre gli intrecci. Non le pistole, come Franzoj, perché è una cosa troppo istantanea. Lui vuole combattere contro se stesso, un vero duello che non finisca subito. Cerca lo scontro, la sua ritualità. Vuole vedere il sangue, il suo proprio sangue. Considerarlo per bene. Si batterà all'arma bianca, l'arma dei prodi. Non userà la sciabola, troppo ingombrante. Userà qualcosa che si possa maneggiare facilmente, magari prendendolo in cucina.

Non sono di quelle che dicono che loro lo sapevano e l'avevano detto anche se è pieno il mondo di gente con la faccia perbene che invece salta fuori all'improvviso che hanno ucciso e rubato ma erano mesi che sentivamo litigi e alterchi la voce di lei soprattutto *povra dona* che ce ne aveva per tutti persino per il fabbro e il maniscalco che si facevano il loro lavoro e non ci davano da mente a nessuno e anche per noi vicini si capisce che una volta che aveva bisogno di un uovo e del prezzemolo non glielo abbiamo prestato e che eravamo invidiosi e mal disposti e attaccabrighe e dietro a far dispetti mentre figurarsi abbiamo sopportato per la buona pace anche la volta che sul corso è passata una sfilata di soldati bersaglieri forse e lei è corsa giú ad abbracciarli e baciarli uno per uno e noi a far finta di non vedere perché ci faceva pena il cavaliere che ogni volta che scendeva giú per le scale era peggio di uno straccio tremava tossiva sputava non avesse avuto il fido bastone andava lungo e tirato e quando prendeva il tram avevamo paura che finisse sotto e come si fa a lasciare andare a ramengo un uomo di 'sta manera ma anche prima s'è mai capita la smania di travestirsi da orientali da indiano da pirata e fare recite in cortile e in casa pretendendo che anche i vicini dovessero partecipare che è anche una cosa drolla e i bambini si divertono ma dài e dài alla fine è un rompimento di glorie e cosí pure se arrivava qualcuno in visita si sentivano in obbligo di presentarsi come se fossero nel bel mezzo della jungla con sciabole pugnali revolver carabine tutti inturbantati con tanto di piuma in cima e con mantelle e braghe a sbuffo e sempre dietro a gridare come ossessi voglio dire che ci sentivo qualcosa di sforzato perfino di malato come succede con i matti che un minuto son tranquilli e dopo fanno i diavoli e posso anche capire i genitori che non son contenti che i figli leggono quella roba lí che scrive il cavaliere perché lí dentro ci son cose che scaldano la testa l'hanno detto anche maestri e professori nelle menti deboli in un amen gli viene l'idea di una balengata già con tutta la delinquenza che c'è in giro mettergli sotto il naso questi begli esempi di sbudellamenti e accoltellamenti e revolverate insomma stare qui in campagna con l'aria buona il cavaliere e i suoi non li ha messi tranquilli ma anzi gli ha fatto venire delle scalmane che non finivano piú ma cosa vuole che ci dica sono belle chiacchiere che valgono niente e a ognuno il suo destino e la sua croce si nasce segnati certo che in casa nostra no proprio non me lo aspettavo diciamo pure che è una cosa brutta che non ci meritavamo e adesso chissà cosa diranno di noi che invece siamo brava gente e questo possono testimoniarlo tutti a cominciare dal prete.

Dottor Arminio Heer

Sono diventato medico della famiglia all'inizio del 1909. Con una certa frequenza la signora mi mandava a chiamare perché suo marito si diceva vittima di una forte depressione, accusando perdita di memoria e d'energie, e insonnia persistente. Lo trovavo assiso al suo tavolo con la consueta sigaretta in bocca, nel disordine delle carte su cui si fiaccava. Non so se si rianimasse giusto al sopraggiungere di un estraneo, sollevandosi dalla tetraggine che gli veniva attribuita. Infatti lo trovavo certamente affaticato, ma di umore discreto, certe volte perfino gioviale, ben disposto verso il prossimo e di sciolto parlare. Forse aveva giustappunto necessità di conversare, per tenersi almeno provvisoriamente lontano dalle ossessioni che lo tormentavano.

Parlare con lui era davvero un godimento, in specie quando non indugiava a lagnarsi del trattamento riservatogli dagli editori, i quali a suo dire lo sfruttavano e tardavano nel corrispondere gli acconti pattuiti. Ignoro se questo accadeva realmente o se il cavaliere se ne era fatto un assillo poco solidamente fondato. Forse in questo era istigato dalla moglie, secondo la quale i soldi in famiglia scarseggiavano. Il cavaliere parlava infatti di un contratto che aveva sottoscritto con una nota casa editrice, ottomila lire annue per tre romanzi, che non sono propriamente una cifra disprezzabile.

Amava rievocare i suoi molteplici viaggi, segnatamente un naufragio nel Mar Giallo verso Malacca, i soggiorni in Egitto, nel Borneo, a Sumatra, dove crescono fiori smi-

surati che hanno una circonferenza di due metri, persino
nella gelida Siberia, nella Nuova Zemlja, ad Arcangelo,
dove aveva conosciuto un cacciatore polare che gli aveva raccontato di lotte con gli orsi e altri animali selvaggi
che vivono in quelle latitudini desolate. Era stato anche
a Ceylon, dove la nave era stata costretta a una lunga so-
sta di riparazione perché, come egli diceva, «crivellata dai
rosicanti», cioè assalita dai topi. Negli ultimi tempi aveva
questa ossessione dei topi.

Sembrava altresí informato degli avvenimenti della cronaca non soltanto nazionale, specie se riguardavano viaggi
ed esplorazioni, argomento su cui era particolarmente fer-
rato. Ad esempio ricordo che parlammo della corsa al Polo
Nord che vedeva impegnate due spedizioni concorrenti,
quella del Peary e del Cook, che si vantavano entrambi
d'avere conquistato il prestigioso traguardo. Ebbene, il
cavaliere era convinto che probabilmente Peary era riuscito a tanto, il suo competitore certamente no. Circostanza
che ebbe poi conferme ufficiali nelle gazzette americane.

Si dilettava di rendermi note le sue conoscenze medi-
che, di pronto intervento per cosí dire, citando episodi di
cui erano state protagoniste talune sue eroine, che avevano
dato prova di saper immobilizzare un arto fratturato con
una canna di bambú spaccata in due, o di frenare un'emor-
ragia provocata dalla zampata di un leone con un pezzo di
tela e uno strato d'argilla. In generale aveva molto rispetto per la professione medica.

Si diceva affascinato dalla medicina orientale, descriveva fiori che fanno addormentare, un siero della verità
composto di foglie di *youma*, succo di limone, un granello
d'oppio capace di far parlare i prigionieri, e certi veleni
che sospendono la vita fino a 36 ore, come quello assunto
da Giulietta. Si dilungava sugli effetti di un potente narcotico che provoca visioni allucinate, il *madjum*, composto da una miscela di burro, miele, noci moscate, chiodi
di garofano e *kif*. A sentir lui, la sola parola *hashish*, co-

sí strisciante e melodiosa, provoca negli orientali visioni strane e sconosciute.

Al di là delle amabili conversazioni e divagazioni, le mie preoccupazioni di curante comprendevano anche sua moglie. Il cavaliere mi aveva parlato di una forte depressione da lei avuta anni addietro, in occasione di un aborto, da cui non si era mai completamente ripresa. La signora sembrava scossa da un'agitazione che non la teneva mai ferma. Muoveva di continuo da un capo all'altro dell'abitazione come se non sapesse bene su cosa concentrarsi esattamente, che non fossero i rimbrotti rivolti alla prole o alla sua stessa madre, peraltro murata in un tale silenzio da far sospettare la sordità. Manifestava un'aggressività contenuta a fatica. A rinforzare le sue preoccupazioni erano poi le condizioni del marito, a suo dire assai piú gravi di quelle che si potevano osservare dall'esterno e che egli, magari inconsapevolmente, si premurava di mascherare davanti ai visitatori.

Ansiosamente la signora suddetta mi sollecitava a somministrare all'infermo farmaci adeguati che lo sollevassero dall'umor nero. Invano ho cercato di spiegare alla signora che il marito era afflitto da gravami psichici contro i quali la farmacopea attuale poco può. Certo gli avrebbe giovato il riposo, magari in qualche località amena, e una alimentazione corretta da cui fossero banditi gli alcolici. A questi ovvi suggerimenti il cavaliere opponeva l'obbligo di rispettare gli impegni presi con gli editori, ma sovrattutto il nodo indissolubile che lo avvinceva ai frutti della sua esagitata fantasia, cui dichiarava di non poter rinunciare. Voglio dire che il cavaliere s'era attossicato del suo stesso lavoro, croce e delizia, con il quale s'era creato una connessione funesta, frequente nella patologia delle depressioni.

Anche per questi motivi, piú che somministrare farmaci, tendevo a intavolare con il cavaliere lunghe conversazioni che lo stornassero dalle ansie che lo assediavano. Mi sembrava che i fantasmi contro cui lottava non avessero la consistenza loro attribuita, e che le difficoltà di cui parlava non fossero insormontabili. Ma evidentemente la stessa fantasia che alimentava le avventurose peripezie delle sue storie aveva creato in lui – ampliandolo, dilatandolo, arricchendolo di nuovi penosi particolari – un disagio interiore da cui non sapeva e non intendeva piú uscire.

La catastrofe cosí lungamente preparata si manifestò all'improvviso, come spesso accade. Il 19 aprile, il mercoledí dopo Pasqua, fui raggiunto nel mio studio dal piccolo Nadir, inviato dal padre, perché – come disse – la madre stava spaccando tutto. Quando giunsi nell'appartamento di corso Casale, le stanze portavano le tracce evidenti della furia che s'era impadronita della povera donna. I vicini sostavano sulla porta ma non osavano entrare. I ragazzi avevano trovato rifugio sul ballatoio, Fathima piangeva. Il cavaliere era abbandonato sul divano, gli occhi chiusi, il capo reclino all'indietro, respirava a fatica. Un'ecchimosi in corrispondenza dell'arcata sopraccigliare sinistra testimoniava di un'offesa ricevuta. La signora, a cavalcioni su una sedia, fissava il vuoto, con la schiuma alle labbra, scossa da un tremore che non accennava a placarsi, ripetendo parole in dialetto di cui non riuscivo a intendere il significato.

Ho cercato di farmi riconoscere da lei, che non sembrava tuttavia intendere dove lei si trovasse né chi io fossi; l'ho trasferita a fatica su una vicina poltrona, e le ho praticato una puntura sedativa. Di lí a poco l'eccitazione psicomotoria è sembrata attenuarsi. Ho cercato di consultarmi con il cavaliere, riscuotendolo e trascinandolo sulla scala d'ingresso. All'agitazione dell'una corrispondeva la catatonia dell'altro. Sono riuscito a farmi dire che nelle ultime settimane e giorni c'erano state altre crisi similari altrettanto gravi. Egli temeva sovrattutto per i figli, non solo per la loro incolumità fisica, quanto per le conseguenze che il reiterato spettacolo poteva avere sulla loro psiche in via di formazione.

Ho prospettato al cavaliere che cosí stando le cose l'unica soluzione proponibile era il ricovero immediato. Là, passata la crisi, si sarebbe agito per il meglio e preso i provvedimenti che si imponevano. Il cavaliere ha mormorato di sentirsi sfinito e incapace di decidere ogni cosa, al punto che si rimetteva completamente a me.

Mi è toccato affrontare il nodo dolente del ricovero. A mia domanda, il cavaliere ha ammesso tra le lacrime di non avere risorse per fare ospitare la moglie presso istituti privati, come avrebbe richiesto il riserbo e il decoro. Non restava dunque che il pubblico Manicomio.

Con pena, mi sono accinto a vergare una richiesta di ricovero d'urgenza, indirizzata alla Questura, la quale ha prontamente disposto che l'inferma fosse accompagnata al Regio Manicomio a mezzo degli Agenti di P.S. Cosí è avvenuto nel primo pomeriggio, nel comprensibile strazio dei fanciulli e del cavaliere, che ho fatto distendere sul letto perché non si reggeva in piedi e lacrimava in continuazione.

La signora è uscita di casa senza una parola, senza voltarsi indietro.

19 aprile 1911

Certifico io sottoscritto medico municipale che la Sig.ra Salgari Aida è affetta da mania furiosa con tendenza ad atti impulsivi che la rendono pericolosa a sé e agli altri, e dispongo, per cure urgenti, il suo ricovero al Manicomio.

In fede

F.to
Arminio Heer

Tremava, stretto nell'impermeabile giallo che gli stava attaccato addosso come una seconda pelle. Ricordo che i bottoni gli tiravano sul ventre. Guardando le grosse dita gialle di nicotina ho pensato che avevano lo stesso colore del soprabito.

Prima di scendere a incontrarlo, mi sono riletto la cartella clinica. La diagnosi parlava di «psicosi periodica (esaltamento maniaco), esaltata logorroica, disordinata nel contegno». Vi era anche riportato il racconto di vita che la signora, opportunamente interrogata, aveva rilasciato. A 19 anni, essendo stata presa da eccessive dilettazioni carnali, aveva avuto un figlio tuttora vivente. A 23 anni aveva preso per marito il Salgari, che in quell'epoca tornava dai suoi viaggi per mare ove si era alcolizzato orribilmente. Negli ultimi tempi i rapporti con lui erano travagliati da continui bisticci. I sentimenti religiosi della paziente s'erano fatti piú intensi, quasi ossessivi...

Il quadro clinico non era molto diverso da quelli che ogni giorno ci passano sotto gli occhi. L'interrogante risultava colpito dalla vivacità dell'intelligenza della donna, e ne aveva avuto conferma quando la paziente aveva detto di aiutare il marito nella composizione dei suoi romanzi.

Appena seduto il cavaliere ha chiesto da fumare, guardandosi in giro come un animale braccato. La sala del ricevimento dove stavamo è meno cimiteriale delle altre. L'hanno ridipinta da poco, un giallino pallido anche quello. Intorno alle pareti corrono pesanti librerie di noce quasi nero. Le tendine color porpora nascondono volumi che nessuno consulta mai.

Gli ho detto che in quel luogo fumare non si poteva, per ragioni d'igiene. Ha dato un sospiro che si è rotto in un singhiozzo:

– Quanto tempo ci vuole? Mi dia almeno una speranza –. Eppure se è venuto fin qui è perché speranze sa di non averne.

Avevo davanti l'uomo che aveva infiammato le mie letture giovanili. Quando la sera l'ho raccontato a mia madre, lei non voleva crederci, sapendomi di fantasia un po' accesa, tanto che si è sempre stupita che avessi voluto fare Medicina. Potrei recitare a memoria le pagine che mi hanno esaltato. Mi piacerebbe trovare parole per descrivere l'aria di mare che, leggendo, ero convinto di inalare nei lunghi pomeriggi estivi, sotto gli ippocastani nella casa di mia nonna nel Saluzzese, mentre tutti sonnecchiavano nell'afa. I mari del Borneo dispiegavano ancora meglio i loro incantesimi sullo sfondo scialbo della campagna.

– Cavaliere, – ho detto, – so per certo che lei è uomo coraggioso anche nelle evenienze spesso dolorose della vita, non solo sulle pagine avventurose che abbiamo amato. Io ho contratto con lei un debito di riconoscenza e di lealtà, anche se lei non può saperlo. Dunque sarò leale. Adesso teniamo la signora in osservazione, poi vediamo. Non sono cose che si risolvono in fretta. Le malattie della mente, dei nervi, o come vogliamo chiamarle, hanno dei contorni ancora imprecisi, anche per noi. Possiamo conoscere i sintomi, gli effetti, collegare tra loro dei casi sino a stabilire delle categorie, delle tipologie, ma questo non ci aiuta piú di tanto. Le previdenze, i rimedi di cui disponiamo oggi non servono a guarire. Servono a contenere, a custodire, a prevenire, appunto, a far sí che il paziente non possa fare male a sé e a gli altri. Diciamo troppo male.

– A custodire, sí, – ha ammesso amaramente lui. – Ma la custodia che si pratica in queste aule non è di quelle che giovano ai pazienti. Semmai peggiorano le loro condizioni. Lo sanno tutti che i malati vengono trattati con modi bruschi. Legature, bagni freddi, tante altre cose brutte... Eppure sono poveri esseri, sí che il minimo accidente basta ad aggravare la sofferenza loro, che è già grande. Ancora piú grande di quelle che può dare l'immaginazione. La conosco, perché soffro anch'io come questi poveri esseri qui.

Si tormentava le dita: – Cosa fanno i ricoverati tutto il giorno, che non sia aspettare il rancio? Cos'altro vedono che non siano sbarre? – adesso ragionava a voce alta tra sé, non mi vedeva piú. – Che cosa possono fare se non disperare?

– Se è per questo ci sono i laboratori di cucito, la lavanderia, la cesteria, – ho provato a dire. – Tutti si ingegnano a fare qualcosa.

Non mi seguiva. È tornato di scatto a puntarmi gli occhi addosso:

– Ma voi, voi cosa fate per difenderli dai loro fantasmi che non sia legarli alle sbarre? Come onorate i doveri della vostra professione, il giuramento di Ippocrate?

Mi guardava come un nemico, le pupille velate color del ghiaccio. Riusciva difficile capire chi era veramente l'uomo che mi guardava di là dietro. Parlava senza muovere un muscolo del volto, come se uno spasmo gli avesse serrato la chiostra dei denti. Mi sentivo guardato da una maschera. Tirava il fiato a fatica, tossiva dolorosamente.

Ho allargato le braccia: – Cerchiamo di evitare il peggio. È già molto, mi creda. Poi subentra l'abitudine, anche in loro.

– Abituarsi a questa caserma! In mezzo a tanti altri poveri! Lo sa cosa fanno i poveri, quando si ritrovano tutti assieme? Si avvinghiano gli uni agli altri, si tirano a fondo, come quelli che stanno per annegare. Annegano tutti insieme.

È tornato a chiedere una sigaretta, ho dovuto negarla ancora. Gli ho offerto dell'acqua, ha fatto segno di no

con la testa: – Mi ci affogherei, nell'acqua, non fosse che
sono un buon nuotatore –. Si guardava in giro, come per
cercare aiuto:
– Quanto tempo ci vorrà? C'è mai qualcuno che riesce
a uscire di qui, o sono condanne a vita? Ergastoli, a dire
propriamente?
Ha ripreso su un tono ancora piú basso:
– Ma sí, ma sí, lo so, siamo tutti dei condannati.
Ho detto: – Qualcuno esce, sí, ma ci deve dare tempo.
Deve avere fiducia.
– Fiducia! A tutti ho dato fiducia! Non ho fatto che
sperperare fiducia, ed ecco come mi ritrovo! In un falli-
mento senza rimedio! – ha replicato vivacemente.
– Ma lei è amato, signor Salgari, cavaliere. I ragazzi di
tutto il mondo, i lettori, io stesso, tanti altri. Lei lo sa bene.
Si è rimesso in testa la paglietta che continuava a te-
nere in mano:
– Ah, ma i ragazzi di tutto il mondo pensano solo a se
stessi, cosa crede? Egoisti peggio degli adulti.
– Non li giudichi male, – ho detto ancora, – sanno anche essere appassionatamente generosi, ne conosco molti.
Si aspettano ancora tanto, da lei. Tutti ci aspettiamo ancora molto da lei.
Ha afferrato la scrivania alle due estremità, ne ha sag-
giato il peso come un ginnasta l'attrezzo con cui sta per
misurarsi, come volesse rovesciarmela addosso:
– E allora aspetterete! Aspetterete a lungo!
Il signore che lo aveva accompagnato, di cui non ricordo il nome, un ristoratore, credo, e che per tutto il tempo
era rimasto in piedi accanto a lui gli ha messo una mano
sulla spalla, poi lo ha cinto con l'intero braccio:
– Signor Emilio, non vi fate altro male. Il signor dottore qui è una brava persona, farà del suo meglio. Adesso
vi riporto a casa.
Il cavaliere ha staccato le mani dalla scrivania, le ha riposte in grembo, si è stretto nell'impermeabile:

– A casa! Nell'avello, vorrete dire!

Poi si è rivolto nuovamente a me:

– E le visite, quante visite ci passate a noi parenti degli ergastolani? Quante volte al mese? Quanto tempo per ogni visita?

Ho detto che per i primi tempi era meglio diradare, aspettare che il paziente si adattasse al nuovo ambiente. Ha sogghignato:

– Siete pieni di premure. Pensate a tutto, voi.

L'amico lo ha preso da sotto l'ascella, ha fatto forza, lo ha sollevato a fatica dalla sedia, ha detto generiche parole di ringraziamento e congedo.

Li ho accompagnati alla porta, cercando di stringere la mano al cavaliere per modo che sentisse la mia solidarietà e la mia pena.

Le sue dita erano diacce.

Li ho guardati percorrere lentamente il portico. Giunto alla fine, prima di prendere a sinistra per l'uscita, il cavaliere si è voltato, ha fatto un saluto rassegnato. Era diretto alla signora Ida, non certo a me.

Ho pensato che non lo avrei piú rivisto.

21 aprile 1911

È venuto ad aprire la porta che teneva in mano una sigaretta spenta, gli tremava tanto il braccio che non riusciva ad afferrare la maniglia.

– Hai visto? Sono rimasto solo. Come mio padre, – ha detto, – che ha perso la moglie in due giorni. Io sono conciato peggio di lui. Ho perso tutto. Anche l'onore. L'hanno dovuta mettere nel reparto dei poveri perché non sono in grado di pagare la pensione. È l'ultima umiliazione. Maledetto me.

Soffocava, ha fatto per slacciare il colletto. Ha detto ancora:

– Da lí non esce. Non la fanno uscire piú. Sono io che l'ho fatta diventare pazza. La sentivo arrivare, la disgrazia, ho sempre avuto fiuto per le disgrazie. Dicevo: ecco che viene, e son rimasto lí a guardare come un bacúco.

L'ho portato sull'argine, ancora una volta. All'orizzonte, verso le montagne, s'annunciava un temporale, scoppiavano tuoni. Il cortile risuonava di gridi, come sempre. Le madri chiamavano dai balconi, il fabbro chiudeva bottega. È passato un ciclista e cantava. Dei cani sono venuti ad annusargli i pantaloni.

– Non ho piú nemmeno il mio caro Niombo, – ha detto.

Ho provato a dire che appena si sentiva, rimettersi a lavorare era il modo migliore per non pensare. Ha ripetuto:

– Maledetto me!

Siamo rientrati, i ragazzi sorbivano la minestra in silenzio. Anche la nonna Giustina scucchiaiava a testa bassa.

Sono corsa a casa a prendere dei sonniferi, ho controllato di persona che il capitano li prendesse.

Si è lasciato cadere sul letto vestito.

22 aprile

Di lavorare non se ne parla. Ho notato che alcuni oggetti delle collezioni non stanno piú appesi ai muri, li ha presi e scagliati per terra, dove però nessuno può toccarli, nemmeno la donna che è venuta ad aiutare nelle faccende domestiche.

Dice che deve scrivere delle lettere. Cose personali. Fathima mi ha sussurrato che non gli ha mai visto scrivere tante lettere tutte insieme. Gli ha chiesto per scherzo se scriveva alle sue morose. Hai detto giusto, ha sorriso debolmente lui. Poi ha pregato di essere lasciato in pace.

Sono tornata a sera, le lettere le aveva scritte per davvero, e ordinate per bene in una piccola pila. Era l'unica cosa ordinata della stanza.

– Quante morose, – ho detto.

Ha fatto segno di sí con la testa.

La notte non ho dormito.

Sono tredici le lettere che ha scritto, non so se devo dare importanza a questo numero del malaugurio.

Sembrava tranquillo, per anni lo abbiamo visto il piú delle volte solo di schiena, abbracciato al suo tavolino. Fin che stava lí a scrivere, voleva dire che il mondo girava per il suo verso. Sbatteva spesso gli occhi, come se stesse lottando contro il sonno. Gli crollava la testa sul petto, la sua bella testa forte in cui stavano tante fantasie.

La mattina di martedí 25 è uscito di casa presto, dicendo che doveva andare a parlare con un distributore di giornali, il signor Guazzone, con il quale era in rapporti d'amicizia. Era un po' che non andava piú in centro, nemmeno dal libraio Borgnin. Eravamo preoccupati, ci siamo offerti di accompagnarlo, siamo scesi con lui fino al portone, c'erano anche tre ragazzini nostri vicini di casa, miei amici, volevano unirsi alla spedizione. Tornate a casa che non ho bisogno di niente, ha detto nostro padre. E poiché abbiamo mosso qualche passo nella sua stessa direzione, ci ha scherzosamente minacciato con la canna. Fate i bravi, *andé a scòla*, ha detto ancora.

In quella è passata la tramvia, lui l'ha fatta fermare e ci è salito sopra. Il ristorante del signor Demo era ancora chiuso, non potevamo chiamarlo. Ricordo che la tramvia mi è sembrata sporca di pàuta, mentre di solito la tengono lucida e pulita. Una volta salito ha fatto un altro gesto con la canna, dal finestrino, indicando di nuovo la casa.

A mezzogiorno non è tornato, ci siamo detti che forse

aveva accettato un invito dal suo amico. Nel pomeriggio abbiamo sentito l'angoscia montarci addosso e Fathima s'è messa a piangere in silenzio sopra il suo pianoforte. Verso sera sono sceso dal signor Demo che possiede il telefono, è riuscito a collegarsi con il signor Guazzone, il quale però ha detto che papà non l'aveva visto.

Abbiamo passato una notte di dormiveglia, abbracciati tutti e quattro sul letto dei genitori, e a ogni rintocco di ore ci venivano i brividi. Saranno state le sette che abbiamo aperto la porta e cercato di parlare con i vicini. Ce n'erano di già in movimento, dicevano di non sapere niente ma si capiva che non era vero.

Alle sette e mezza è arrivata una guardia civica, un signore non piú giovane, con pochi capelli e una barba lunga di qualche giorno. Aveva la faccia della disgrazia. Ha detto la parola «incidente». Quasi abbiamo dovuto fargli coraggio noi.

Fathima è svenuta.

Meno male che nostra madre non c'era.

Miei cari figli,

Sono ormai un vinto. La pazzia di vostra madre mi ha spezzato il cuore e tutte le energie.

Io spero che i milioni di miei ammiratori, che per tanti anni ho divertiti e istruiti, provvederanno a voi. Non vi lascio che 150 lire, piú un credito di 600 lire che incasserete dalla signora Nusshaumer. Vi accludo qui il suo indirizzo.

Fatemi seppellire per carità essendo completamente rovinato.

Mantenetevi buoni e onesti e pensate appena potrete ad aiutare vostra madre.

Vi bacia tutti, col cuore sanguinante, il vostro disgraziato padre

Emilio Salgari

Vado a morire nella Valle San Martino, presso il luogo ove, quando abitavamo in via Guastalla, andavamo a fare colazione. Si troverà il mio cadavere in uno dei burroncelli che voi conoscete, perché andavamo a raccogliere i fiori.

30 aprile 1911

Sono arrivata presto in corso Casale, volevo cercare di rimetterlo a lavorare, ma era appena uscito. Una vicina mi ha detto che l'aveva visto prendere la tramvia verso il centro. Era già importante che non fosse andato verso il fiume. Non potevo aspettare un'altra tramvia, mi sono messa a correre lungo il corso Casale. Ho pensato che in città non doveva essere andato, con la città aveva chiuso, non voleva piú sapere di niente. Doveva essere andato verso la collina.

Ho cominciato a salire piú in fretta che potevo su da via del Lauro, cercando di respirare lungo. Per fortuna avevo voti buoni anche in ginnastica.

Cercavo di mettermi nella testa di un abitudinario come lui. Le stesse passeggiate, le stesse gite negli stessi posti. L'anno prima Aida aveva insistito che andassi a fare merenda con loro, i ragazzi volevano giocare con me perché il capitano non aveva piú voglia di passeggiate e di mascherate. Mi avrebbero fatto vedere un posto dove ci sono le tigri e i leopardi. Era autunno, raccoglievano foglie gialle e rosse, facevano a gara a chi trovava la foglia piú bella. Romero voleva andare per castagne, quando ne raccoglieva abbastanza le vendeva al signor Demo per i suoi dolci. Parlavano del bosco Rey come fosse il Borneo, era il loro preferito. Avevo dovuto rinunciare per chiudere una contabilità che era rimasta arretrata, ma Nadir mi aveva fatto giurare che alla prima occasione ci saremmo tornati. Secondo lui non c'erano solo tigri in quel bosco, c'erano anche i *bhajusa*, i formidabili bisonti indiani.

Alla prima occasione.

Sentivo il sangue che pulsava con violenza alle vene del collo, me le sono toccate, erano gonfie come un torrente di primavera, mi sentivo il veterinario di me stessa. Sono riuscita ad arrivare in cima prima di quanto pensassi. Fortuna che le gemme degli alberi sono appena sbocciate, tante piccole virgole di un verde tenero, umido. Il bosco è ancora nudo, solo qualche primula per terra, dei crochi bianchi e viola pallido, era stato il capitano ad attirare la mia attenzione su di essi durante una passeggiata spiegando come si riproducono.

C'era un gran silenzio, il solo rumore lo facevano i miei scarponcini franando nel terriccio umido e smosso. Cercavo degli avvallamenti, dei luoghi dove ci si può nascondere. Ho corso su e giú dieci minuti come un bracco. Ci fosse stato ancora Niombo lo avrebbe trovato subito.

Finalmente l'ho visto. Prima ancora di vedere lui ho visto il lucore iridescente delle viscere che erano uscite dalla sacca intestinale. È facile adesso scrivere sacca intestinale, le nozioni che impariamo a scuola sono delle astrazioni, degli eufemismi. Nella furia di colpirsi il piú in fretta possibile, s'era svestito a metà. Aveva tolto la giacca, e deposto bene in ordine per terra canna e cappello, ma non aveva nemmeno scostato la camicia di flanella, sotto cui occhieggiava una pelle di cera, vizza, malata.

Deve aver capito che aprendosi soltanto il ventre sarebbe andata per le lunghe. Si era praticato lo sventramento come un gesto simbolico, il richiamo a un codice d'onore. Chissà quante schede aveva sul Giappone e i samurai.

«Ogni cosa al suo posto». Allora si dev'essere avventato al collo con il rasoio che teneva nella destra, ben stretto nelle grosse dita. Il rasoio aveva un manico d'avorio, identico a quello di mio padre.

Da lí il sangue stava ancora uscendo a fiotti, a grosse polle. I tagli erano profondi. Il cuore pompava bene. Il mese scorso ho parlato con un amico studente di medicina, gli ho chiesto quanto tempo ci vuole per svuotare un uomo del suo sangue. Tre minuti, ha detto. E per andare fuori conoscenza? Anche meno.

Mi sono inginocchiata vicino a lui, non sapevo da che parte cominciare. Ha socchiuso gli occhi già velati – una fessura –, mi ha visto, ha dato come un gorgoglío di tosse, mi è sembrato dicesse: aiutami. E poi ancora: finiscimi.

Io non sapevo né come aiutarlo né come finirlo. Allora lui ha preso il rasoio e me l'ha spinto in mano, poi tremando ha preso la mia mano e se l'è calcata di nuovo sul collo, di qui e di là.

Ho allentato istintivamente la stretta. Il rasoio è caduto, lui ha fatto per riprenderlo ma si è abbandonato senza piú forze.

Gli ho preso la testa e me la sono stretta al petto, la grossa testa rotonda, bianca e grigia. Ho pensato al rumore che fanno i salvadanai quando i bambini li scuotono per capire quante monete ci sono dentro. Io invece gliela tenevo ben ferma come per evitare che scappassero le centinaia e migliaia di personaggi e animali e piante che ci stavano dentro, che lo abbandonassero anche loro.

Sentivo che si stava rilasciando, gli ho dato un piccolo bacio sulla fronte sudata. Gli ho sussurrato: sssssssst, come si fa con i bambini per farli addormentare. Presto il sangue ha smesso di uscire.

Non so quanto tempo l'ho tenuto cosí. Avrei voluto essere su una barca, al largo, affidarlo al mare, come in quella pagina bellissima de *Il Corsaro Nero*. Il bosco s'era riempito di trilli e cinguettii, prima non li avevo sentiti, ero assordata dal battito del sangue alle mie orecchie, mi dava spavento come se fosse il sangue di lui a rombarmi dentro. Adesso era come si fossero svuotate anche le mie vene.

L'ho adagiato sul muschio, piano, piú dolcemente che potevo. Era pesante, come fosse pieno di pietre; o forse mi sentivo stremata io. Sembrava che riposasse dopo il picnic, su un fianco, mentre i bambini sono a giocare nel bosco. Gli ho chiuso gli occhi e gli ho dato un altro piccolo bacio sulla tempia.

Avevo la camicia tutta macchiata. In un ruscello lí vicino mi sono lavata le mani e ho ripreso lo scialle con cui ero salita, lo avevo appeso a un ramo. Mi avrebbe protetto per il tempo necessario.

In casa non c'era nessuno. Ho messo tutto in un mastello d'acqua, lavato e risciacquato tre volte. L'acqua era sempre rosa.

Poi sono andata da mio padre in fabbrica. Come mi sono fermata sull'uscio del suo ufficio sono svenuta. Di quel giorno non ricordo altro.

Il 29 la città si è messa in festa per l'apertura dell'Esposizione Universale, figurarsi se poteva aver testa per il capitano. I sovrani sono arrivati a Porta Nuova, c'era Giolitti, mezzo esercito e la cavalleria e popolo festante.

Il funerale del capitano è stato il giorno prima, a spese del Comune. Autorità non ne sono venute. Un suicidio pochi giorni prima di un evento cosí è una di quelle cose imbarazzanti che non si devono fare. Un giornale ha avuto il coraggio di scrivere che il defunto aveva «un aspetto caratteristico da cinese, faceva vita ritirata, ma disordinata e spendereccia».

Nella cassa di legno chiaro il viso era disteso, come l'avevo lasciato. La redingote era abbottonata alta, non si vedeva niente; sul petto, la croce di cavaliere. I ragazzi hanno deposto dei fiori gialli che avevano raccolto nei campi, i primi a fiorire, ancora esili. Il cortile e l'androne erano pieni di studenti, anche del Politecnico, con i suoi libri sotto il braccio. Si stringevano tra loro, smarriti, come fossero parenti; qualcuno piangeva.

Al momento di chiudere la cassa Fathima ha avuto un attacco della sua tosse ed è svenuta di nuovo.

I giornali hanno pubblicato le «lettere alle morose». Ha fatto impressione quella indirizzata agli editori in cui si diceva che si erano arricchiti sulla sua pelle mantenendo lui e la sua famiglia in una continua semi-miseria e anche piú. Chiedeva soltanto che per compenso dei guadagni che lui aveva dato loro pensassero ai suoi funerali. Li salutava spezzando la penna.

Hanno pubblicato anche la lettera ai direttori dei quotidiani torinesi, credo che abbia preso l'idea da Franzoj, che tanto ammirava. «Vinto dai dispiaceri d'ogni sorta, ridotto alla miseria malgrado l'enorme mole di lavoro, con la moglie pazza all'ospedale, alla quale non posso pagare la pensione, mi sopprimo». Pregava i signori direttori di aprire una sottoscrizione per togliere dalla miseria i quattro figli e passare una pensione a sua moglie finché rimarrà in ospedale. Ringraziava sentitamente e si firmava «il devotissimo cav. Emilio Salgari».

La pubblica sottoscrizione ha fruttato 42 000 lire. Hanno contribuito tra gli altri il signor Puccini, la poetessa Guglielminetti e il Re, che ha versato mille lire: grosso modo, il guadagno di mezzo romanzo.

Gli editori hanno dichiarato di sentirsi offesi, ma le loro brave offerte le hanno fatte anche loro. Non si sono sforzati troppo: Donath ha dato 200 lire, Bemporad 500, ed è finita lí.

A me è dispiaciuto che nell'ultima lettera avesse rinunciato ai gradi di capitano che aveva guadagnato sul campo.

Tra le tredici lettere ce n'era anche una per me.

Cara Superina,

in questi mesi e anni ti ho sentita sulle mie tracce come la piú astuta delle guerriere pellerossa, come la pugnace Minnehaha. Non hai lasciato alcunché di intentato. Non avevi torti da vendicare, volevi soltanto salvarmi: non dai Thugs o dai rapaci coloni bianchi, ma da me stesso. Questa è una di quelle tali imprese che a nessun essere umano è dato di portare a compimento.

C'è qualcuno – non so chi sia, non ho mai avuto confidenza con le sfere superne – che scrive la nostra storia, e nessuno può cambiarla. Io non avevo niente da insegnarti, perché l'intelligenza e la sensibilità non si insegnano e non si trasmettono, meno che mai a chi già le possiede. Esse stanno annidate in te come un bambino nel grembo materno. A te toccherà portarle alla luce, farle diventare qualcosa che possa aiutare i tuoi simili, cosí come i tuoi gesti affettuosi hanno confortato me.

Ti sono grato dal profondo del cuore di avere diviso con me un ultimo tratto di mare. Ho scoperto in te le qualità del buon marinaio che io non sono stato. Ti prego di porgere il mio ricordo anche al tuo gentile signor padre e di dirgli ancora il mio apprezzamento per i suoi eccellenti prodotti.

Non dimenticare troppo presto il tuo sventurato amico.

Rispettosamente ti abbraccia per sempre il tuo devotissimo

cap. Emilio Salgari

Nota.

Un tragico destino ha continuato ad accanirsi sulla famiglia Salgari anche dopo la morte di Emilio. Ida Peruzzi è rimasta in manicomio fino alla sua morte, avvenuta nel giugno 1922 per un cancro all'utero, probabilmente diagnosticato troppo tardi. Fathima non è scampata alla tubercolosi che già le aveva fatto abbandonare le ambizioni musicali: la rubrica dello stato civile de «La Stampa» annota il suo decesso alla data del 15 luglio 1914, qualificandola come «cucitrice». Una breve nota di cronaca ricorda il triste destino della «bimba di Salgari», deceduta in sanatorio, e ricorda che il giornale aveva aperto una sottoscrizione per gli orfani.

Altri due figli di Salgari seguono il padre nel suicidio. Nel 1932 Romero, dopo aver tentato di uccidere la moglie, il figlio Mimmo e il cognato, si toglie la vita (già nel 1922 aveva tentato il suicidio ingerendo una pastiglia di permanganato di potassio). Omar, l'ultimogenito (il piú attivo dei figli nella «fabbrica dei falsi» che usciranno con regolarità fino al secondo dopoguerra), si lancia da un balcone a Torino. Intanto nel 1936 Nadir era rimasto vittima di un incidente motociclistico.

Questo «romanzo con personaggi veri» mescola, come d'uso, persone, fatti, situazioni, documenti autentici e altri d'invenzione, che tuttavia si sforzano di riuscire verosimili e concorrere a quella ricerca di una verità umana e poetica in cui dovrebbe consistere il lavoro letterario.

Molti sono i libri, i saggi, gli studi, le ricerche che ho utilizzato, e ai quali dichiaro qui i miei debiti di gratitudine. Due, anzitutto, sono le biografie disponibili: quella pionieristica di Roberto Antonetto e Giovanni Arpino, *Vita, tempeste e sciagure di Salgari, il padre degli eroi*, uscita da Rizzoli nel 1982, quando l'astro salgariano si stava offuscando, e ora ripresa da Viglongo, benemerito editore salgariano per eccellenza; e quella di Silvino Gonzato, *Emilio Salgari. Demoni, amori, tragedie di un «capitano» che navigò solo con la fantasia* (Neri Pozza, 1995), ricca di una documentazione inedita. Eccellente è anche il profilo critico di Bruno Traversetti, *Introduzione a Salgari* (Laterza, 1989). Articolato tematicamente è il saggio di Ann Lawson Lucas, *La ricerca dell'ignoto. I romanzi d'avventura di Emilio Salgari* (Olschki, 2000). Un inquadramento generale è offerto da Giuseppe Zaccaria in *Il romanzo d'appendice* (Paravia, 1977).

A sdoganare Salgari, reo di «scrivere male» e di scaldare la testa dei ragazzi, in una collana di letture per la scuola media aveva provveduto Daniele Ponchiroli sin dal 1971 con *Avventure di prateria, di giungla e di mare* (Einaudi). Il ricordo delle letture giovanili ha dettato pagine acutamente empatiche a Pietro Citati (*Il profumo del nagatampo*, ora in *Il Male assoluto*, Mondadori, 2000; *Salgari scrittore maledetto*, in «la Repubblica», 2 agosto 2000) e a Claudio Magris (*Salgari o il piccolo grande stile*, in *Itaca e oltre*, Garzanti, 1982). Sugli illustratori salgariani si veda il saggio di Antonio Faeti, *Guardare le figure* (Einaudi, 1972). La collaborazione con il pittore Alberto Della Valle è documentata da Paola Paollottino in *L'occhio della tigre* (Sellerio, 1994).

Negli ultimi trent'anni Salgari ha goduto di una serie di ricerche e approfondimenti condotti con amorevole dedizione, che hanno trovato il loro piú appassionato protagonista nel veneziano Giuseppe Turcato, il cui ingente Fondo è conservato presso la Biblioteca Civica di Verona. Il lavoro di Turcato ha trovato dei validi continuatori, tra gli altri, in Felice Pozzo, Vittorio Sarti e Claudio Gallo, che ha raccolto in *A Tripoli!* le note di politica estera del Salgari giornalista sotto lo pseudonimo di «Ammiragliador» (Perosini, 1994), e in *Viva Salgari!* le memorie e testimonianze già raccolte da Turcato (Aliberti, 2005). Vittorio Sarti ha offerto una *Nuova bibliografia salgariana* (Pignatone, 1994).

Tra le raccolte di saggi da segnalare Gian Paolo Marchi (*La spada e il sambuco*, Grafiche Fiorini, 2000) e Felice Pozzo (*Emilio Salgari e dintorni*, Liguori, 2000). In *A pranzo con Salgari* (Perosini, 2000) Elsa Müller ha ricostruito le pratiche alimentari degli eroi salgariani. Approfondimenti e notizie utili sono reperibili anche nel catalogo della mostra *I pirati in biblioteca. Fonti salgariane*, a cura di S. Gonzato e P. Azzolini (Verona, 1991), e nei saggi raccolti nei *Quaderni salgariani n. 1* pubblicati da Viglongo nel 1998.

Rilevanti anche i contributi ospitati nei vari volumi che raccolgono gli atti di convegni: *Scrivere l'avventura: Emilio Salgari* (Assessorato per la Cultura di Torino, 1980), *«Io sono la tigre»*, a cura di S. Gonzato (Banca Popolare di Verona, 1991), *La valle della luna. Avventura, esotismo, orientalismo nell'opera di Emilio Salgari*, a cura di E. Beseghi (La Nuova Italia, 1992), *Il caso Salgari*, a cura di F. Pozzo (CUEN, 1997), *L'ombra lunga dei paletuvieri* (Tipografia Mriotti, 1998), *I miei volumi corrono trionfanti*, sulla fortuna di Salgari all'estero (Palazzo Barolo di Torino, 2003; Edizioni dell'Orso, 2005), *Emilio Salgari tra sport e avventura*, a cura di C. Cappelletti (Viglongo 2010). In occasione di quel convegno (2006) l'Università di Verona ripubblicava il volumetto biografico di Berto Bertú, *Salgàri*, apparso nel 1928 per le Edizioni Augustea, che intendevano attribuire al fascismo matrici risorgimentali e patriottiche. Infine, il convegno internazionale di Liegi ha indagato la produzione degli ultimi anni: *Un po' prima della fine. Ultimi romanzi di Salgari tra novità e ripetizione (1908-1915)*, a cura di L. Curreri e F. Foni (Luca Sossella editore, 2009).

Tra le numerosissime edizioni salgariane mette conto di ricordare almeno quella curata e annotata negli anni Settanta da Mario Spagnol per Mondadori, con la collaborazione di Giuseppe Turcato. Una ventina di romanzi sono stati raccolti tematicamente: il *Primo* e *Secondo ciclo della Jungla*, *Il ciclo dei corsari*, *Il ciclo del Far-West*, i *Romanzi d'Africa* e i *Romanzi di guerriglia*. Spagnol ha tracciato una prima rassegna delle fonti salgariane in *Filologie salgariane* (in AA.VV., *L'isola non trovata. Il libro d'avventure nel grande e piccolo Ottocento*, Emme Edizioni, 1982).

Tra i saggi introduttivi a singole opere, da segnare quelli di Emanuele Trevi a *Il Corsaro Nero* (Einaudi, 2000), di Michele Mari a *Romanzi di giungla e di mare* (Einaudi, 2001) e di Sergio Campailla a *Tutte le avventure di Sandokan* (Newton Compton, 2010).

Stampato per conto della Casa editrice Einaudi
presso Mondadori Printing S.p.a., Stabilimento N. S. M., Cles (Trento)

C.L. 20728

Ristampa   Anno

1 2 3 4 5 6   2011 2012 2013 2014